Ⓢ新潮新書

磯田道史
ISODA Michifumi

日本人の叡智

新潮社

初出　「朝日新聞　土曜版〈be〉」二〇〇九年四月四日～二〇一一年三月二六日連載

日本人の叡智【目次】

はじめに 9

はじめに

日本人の叡智《えいち》ということについて、考えはじめたのは、やはり、ぼやけたような蛍光灯が点滅する書物蔵のなかでのことであった、と思う。

わたしは、書物とりわけ古文書に取り憑かれたとしかいいようのない、奇妙な暮らしをしている。古文書を解読して書いた最初の著作『武士の家計簿』もそのようななかでできた。毎日のように、薄暗い書庫のなかに入り浸り、汚い床に座り込んで、ほこりのなかで古書をむさぼり読む。食べるものも食べず寝るのも忘れて、この陶酔の時間に、はまり込んでいってしまったがために、あるときは書庫のなかで倒れ、とうとう図書館から救急車で病院に搬送されてしまったこともある。しかし、これが好きなのだから仕方がない。

古めかしい書物のなかに、無名ながらこれは素晴らしいと思える人物に出会ったとき、宇宙の彼方までいけるほどに深遠な哲学的な言葉に触れたとき、ぶったおれるほどの感動をおぼえる。とりわけ、ミミズがのたくったような古文書の文字を読み解くうちに、きらめくような一行をみつけだし、誰も知らない真実をみてしまった瞬間がたまらない。そのために生きているようなものである。

二〇年、毎日のように、このような暮らしをしていて、感じたことがある。

人は、かならず死ぬ。しかし、言葉を遺すことはできる。どんなに無名であってもどんなに不遇であっても、人間が物事を真摯に思索し、それを言葉に遺してさえいれば、それは後世の人々に伝わって、それが叡智となる。この叡智のつみかさなりが、その国に生きる人々の心を潤していくのではないか。

書庫のなかでみた日本人の叡智の蓄積は想像を絶するものであった。津々浦々に、けっして教科書には書かれない埋もれた人物が、山のごとくいた。記されていた言葉は海のごとく広くそして深かった。日本人のみならず、日本にやってきた外国人も、この国にふれるなかで、叡智というべき言葉を遺していた。

ほかには何もできないわたくしは、自分では、たいした言葉も遺さないであろう。これほど万巻の書物を読みながら、何も語れないのだから、まことに、なさけない、とも思う。ならば、いっそのこと、書庫のなかに埋もれているそんなきらめくような言葉と叡智を拾いあつめて歩き、記録してみてはどうだろうか。後世に残してみてはどうだろうか、と考えた。

毎日、書物蔵で至福の時間をすごさせてもらっているのだから、せめて、そのぐらいの作業はしておきたい。自分は人に偉そうなことをいえる人間ではないけれども、毎日、そういう作業をしていれば、少しは、ましになれるかもしれない、と思った。大学の教師などをして、人前では、わかったようなことを言っているが、正直なところ、いまだに「人間としてこの限られた人生をどう生きればよいのか」ということの中身が、はっきりと見えていない。だからこそ、古人に聞いてみたい。先人に尋ねてみたい、と思って、書物蔵のなかで探すうちに、本書のもとになった朝日新聞土曜版〈be〉の連載「この人、その言葉」ができていった。しかし、いまもって、人間の生についての、その答えはみつからない。

だから、ここに書かれていることは、わたくし個人が生き方を探すために、書物蔵のなかを這いずり回って、あれこれ思索したけれども、結局、わからなかったという、いってみれば敗北の跡である。わたくしが、わからぬ頭で考え抜いたあとの残滓《ざんし》なのだと、正直に、告白せねばならない。精一杯よくいっても、こう考えてみては、どうだろうかと、わたくしが自問自答してみた虚《うつ》ろな作業の塊で、なにか教訓を示せるような書物ではない。

新聞連載だから、毎週、かならず締め切りがやってくる。調査につかえる時間は、わずか七日間である。この限られた時間のなかで、大学の仕事をし、その合間に図書館にこもって、とりあげる人物について調べ上げなければならなかった。この作業については、胸をはって誠実にやったといえる。時間の許す限り、精一杯の努力をしたつもりで、悔いはない。

もし可能であるならば、その人物が一生涯に書いた書簡から作品まで、全部読む覚悟で臨んだ。事実、全集が編まれているような人物や、著書が一〇〇冊をこえるような人物を書くのは、とりわけ困難をきわめた。わずか一週間で、重さにして数十キロの資料を山と積み、そのなかに埋もれながら必死に読破して書いたものもある。この本を書くために、わたしが自転車で運んだ資料の重さはトンの単位になるのは間違いない。

しかし、人間というものは自分のことすら、はっきりわかるものではない。ましてや、わずか一週間で、他人のことが全てわかるはずなどない。とくに新聞連載は欄が小さい。画家が小さな紙片に事物を活写するのが難しいように、わずか七〇〇文字たらずの紙面で、その人物の本質を抜き取り、文章で描写するのは至難の作業であった。しかし、とにもかくにも、その努力だけはした。才能には限りがあるが、労力は時間の許す限り投入できる。未公刊のものまで希少資料をあつめ、知人や家族の証言録などがあれば必ずあつめることにし、ときには、聞き取り調査も行って書いた。それでも、行き届かないところがあって、連載中、もちろん間違いもしたし、読者からご叱正をうけることもあった。ご指摘を頂いた方々のお名前を全てあげられないが、この場を借りて、お礼を申し上げたい。

ほんとうに、つらい連載であったけれども、なんとか二年間つづけられた。その理由は簡単である。「この人は埋もれさせてはいけない。忘れ去られてはいけない」と思える人物がいっぱい居たからである。絶対、この人は歴史に埋もれさせてはいけない、と思った人のことを、巌石に文字を刻み付けるような気持ちで書いていった。人選にあたって難しいことは考えなかった。「この人のことを人類は記憶しておくことが必要だ」と、自分が直感したとき、それに素直に従った。

ここに書かれている人たちは、偶然、わたしが書庫のなかで出会ったというだけのことである。この国には、まさに砂漠の砂、天空の星のごとく、きらきら光るたくさんの人物がいた。連載中、取り上げる人物がみつからなくて困ったことは、一度もない。むしろ、取り上げたい人物がたくさん居すぎて困った。連載を終えたあとも、十分の一も取り上げることができなかった、という思いのほうがつよい。それだけ、無名の賢人がこの国に息づいていたということであろう。この本は、そういう彼らの言葉と生涯を記したものである。

新書にまとめるにあたって、書題を「日本人の叡智」とした。もちろん、ここに取り上げた人物は、日本人ばかりではない。英国の女性旅行家イザベラ・バードや、朝鮮人の女性飛行士朴敬元《パクギョンウォン》など、日本で暮らした外国人の言葉も入っている。日本人の叡智というのは、今を生きる日本人にとっての叡智になってほしいとの願いから、つけられたものである。

ただ、それはあくまでも、わたくしのささやかな願いであって、ここに書かれていることが、すなわち教訓になるということではない。過去に発せられた言葉は、どういう状況下で、その人が言ったのかが大切である。わかるものについては、なるべく、その言葉を放った背景を調べて記しておいたが、なにぶん、古い時代のことで、資料がなく、つまびらかにできないものも多かった。

また、近代以前に生まれた人々は、オリジナリティの考え方が、われわれとは異なっていたから、古典や、ことわざをアレンジして、他人に語りかけていることが少なくない。たとえば、禅僧山本玄峰老師が「死んでから仏になるはいらぬこと　この世のうちによき人となれ」と説法で語ったことをとりあげたが、これなどは、一休宗純と問答した蜷川新右衛門の道歌「死んでから仏となるはいらぬもの、活きたるうちによき人となれ」をふまえたものであろう。いろいろな思想の影響をうけながら、その言葉が語られている。

何度もいうようだが、とにかく、この本は、なにより、わたしが知りたかったから、書いた。しかし、このような書物を編むと、どうしても、心にひっかかることがある。教訓としては、すばらしい言葉なのかもしれないが、それを遺した人々は、とても心の強い人であったり、常人には及びのつかぬ才能のある人であったりして、その生涯を目《ま》のあたりにし、その言葉を耳底に響かせても、自分がそれと同じようにできるかというと、どうにも力がわいてこないということである。

薩摩武士の子供たちが日課のように唱えていた日新公いろは歌の「い」に、「いにしへの道を聞きても唱へても、わが行いにせずば甲斐なし」というのがあるけれども、先人の教えを自分の言行にするのは、容易なことではない。だが、西郷隆盛は遺訓のなかで、こういう。「聖人賢者になろうとする志がなく、古人の事跡をみて、自分にはとても及ばぬ、と思うような心であれば、戦いに臨んで逃げるより、なお卑怯だ」。たしかに、西郷のいうとおりかもしれない。しかし、人間はそれほど強いものであろうか。

この本のなかで「心配すべし。心痛すべからず」という言葉を紹介した。明治維新の激動期を生き抜いた実業家・馬越恭平の言葉で、困ったことが起きたとき、心を配るのはいいが、心を痛めつけ、体までいためてしまっては、馬鹿らしい、という意味である。ただ、そうはいっても、これは難しい。わかっていても、そうできないのが、人間というものである。とはいえ、わたしは、こう考え直した。

自分がそうできるか、どうかは別として「心配すべし。心痛すべからず」というその言葉をあらかじめ、きいておくことは、無駄ではないのではないか。知らないよりも、知っていたほうが、心が安まる。そういう意味では、先人の叡智を知ろうとすることは大切なのではないか。知ろうとするだけで、少しなりとも、人の心は癒され、よい方向にむかっていくものと信じつつ、この書物を世におくることにする。

【小早川隆景】（一五三三〜一五九七）――――決断――

万事を決断するに、仁愛を本として分別すれば、万一、当たらざることありとも遠からず。

決断は難しい。小早川隆景《こばやかわたかかげ》は戦国・豊臣期の武将。中国地方の大大名毛利家の実質的総帥として難しい決断を迫られた。その決断は見事なもので彼の存命中、毛利家は安泰であった。とくに二つの決断で有名。第一は本能寺の変のとき。隆景は秀吉と対陣していたが、撤退する秀吉軍を追撃しなかった。果たして秀吉は天下をとり、毛利家は豊臣政権下で領土をまっとうした。第二は朝鮮出兵のとき。侵略をあせる石田三成をいさめ、負け戦になった場合、軍兵を無事に朝鮮から日本に連れ帰る撤退計画の必要を説き、日本を救った。

隆景が正しい決断ができるのはなぜか。不思議に思った黒田長政（初代福岡藩主）が決断の秘訣《ひけつ》をたずねた。すると隆景は「別に子細はない。永《なが》く思案して遅く決断するだけ」と謙遜《けんそん》した。長政はおさまらない。更にきいた。「分別に肝要なことはありますか」。隆景の目が鋭くなり「それはある。分別の肝要は仁愛です。仁愛なき分別は智が巧みでも皆あやまり」といい、冒頭のように述べた。『名将言行録』などに伝わる話である。

結局、身を捨ててこそ浮かぶ瀬もあれだ。自分の利得だけで物事を決めたときは、一見、得に見えても、見込みがはずれたとき、破滅する。

決断するときは、心中に一抹の仁愛を。戦国きっての戦略家はそう説いている。

【曽呂利新左衛門】（?〜一六〇三?）——寵愛——

飯はいつにても、よき物なり。しかし、なにも、うまき風味はなし。

職場の上司に好かれるのは至難の業である。嫌われないのがせいぜいで、首をすくめている人もいる。とかく利害がかかわると人は萎縮《いしゅく》する。

戦国時代はなおさら。主君の怒りを買えば切腹もありえた。ところが、主君に気に入られる天才が現れた。曽呂利新左衛門《そろりしんざえもん》、堺（大阪府）の鞘師《さやし》。刀の鞘を作らせると「刀身がソロリと納まる」ので曽呂利といった。この男、滑稽《こっけい》話が上手で、豊臣秀吉に気に入られ、いつも御前に呼ばれた。大阪お笑い芸人の元祖である。

曽呂利が秀吉に寵愛《ちょうあい》されるのをみて周囲はうらやましがった。あるとき、秀吉の側近たちが尋ねた。「どうしたら主君に気に入られるのか伝授してくれ」。すると曽呂利はこう答えた。

「飯には定まった味はない。一方、菓子は甘くて、うまい。ならば、明日から飯をやめて、うまい菓子だけ食べればいいかといえば、それは無理。それと同じで、主君に菓子みたいに甘いことをいっても飽きられる。甘いものは場合によってはよくない。一方、飯は、いつでもよい物。甘いことをいって主君に用いられようというのは大きな了見違い。コメの飯のように、さして味はないが、退屈もせず、気遣いもいらない。それをめざしておゆきなさい」

最後に言い放った言葉がふるっている。「主君の寵愛というものは必ず久しからぬものなれば、その心をもって媚《こ》びず諂《へつら》わずして真《ま》っ直《す》ぐに奉公したまうべし。外に伝授もヘチマもいらず」（『雨窓閑話』）。人間は自然体が一番。これが人間関係の秘訣《ひけつ》らしい。

【島井宗室】（一五三九～一六一五）――――――――――――――――不言――

口がましく、言葉おゝき人は、人のきらう事候。我《わが》ためにもならぬ物ニ候。

職場でもどこでもそうだが絶対権力者のいる環境で、正しいことを直言し、かつ身を保つことは難しい。

とくに戦国末期、町人は天下人の機嫌を損ねれば命はなかった。秀吉の命で、千利休は切腹。同じく堺の山上宗二《やまのうえそうじ》は茶の湯の上手で物知りであったが「秀吉公にさへ、御耳にあたる事申《もうし》て、その罪に耳鼻をそが」れて惨殺された（「長闇堂記」）。

しかし、その秀吉に堂々と朝鮮出兵の非を説き、逆鱗《げきりん》にふれながら、やりすごし、ついに生命と財産を保った男もいる。博多商人・島井宗室《しまいそうしつ》である。処世といえば彼ほどの処世もない。島井は死に臨んで、自分の処世術のすべてを一七カ条の「遺言状」に書き残し、後継者に伝えている（田中健夫『島井宗室』）。

冒頭の言葉はその第一条の一節。口は災いの元というが、厳しい世を生き抜くには口をつぐみ「人をうやまいへりくだり、いんぎん」にすることがこんこんと説かれる。「以来、証跡《しょうぜき》に成《なり》候事ハ、人之《の》尋《たずね》候共、申《もうす》まじく」と、あとで証拠になりそうなことは人に語らない。「人の褒貶《ほうへん》、中言（告げ口）などハ、人の申候共、返事も耳にもきゝ入るまじく」、他人の善悪にかかわる噂話《うわさばなし》は聞かないように、と説く。

島井は来世への信仰が絶対であった当時、なんと宗教との決別さえ語る。五〇歳までは「後生ねがひ候事無用」、今をきちんと生きる分別が大切といった。そして最後の条文にこう書く。「夫婦中《なか》いかにも能《よく》候て、両人おもいあい候て、同前所帯をなげき、商売に心がけ、つましく油断なきように」「二人いさかい中悪《わるく》候てハ、何たる事にも情ハ入《いる》まじく候」。つまり、夫婦仲が悪いと、ストレスがたまって何事にも身が入らないという。

【鍋島直茂】（一五三八〜一六一八）

当時、気味よきことは必ず後に悔やむことあるものなり。わが気にいらぬことが、わがためになるものなり。

鍋島勝茂《なべしまかつしげ》は佐賀藩初代藩主。関ケ原合戦の時は一九歳。石田三成に誘われ、大いに勇んだ。というのも、勝茂の父直茂《なおしげ》は「当時、日本にて名将と申すは（小早川）隆景と直茂」といわれた天下の名将だ。ここで武功をあげれば、父を見返すことができる。それで勇んだ。勝茂は石田方の西軍に一味。東軍・徳川方の伏見城を襲い、たちまち首級百を取った。勢いに乗じ、関ケ原の前哨戦で大活躍した。気分がよかった。

そこへ、国元の父から急使がきた。

「今度のいくさは石田三成らの邪謀だ。よく考えろ」。父は西軍石田三成の敗北を予測していた。「今度は必定関東方（東軍徳川方）御勝」（『勝茂公譜考補』）とみて、徳川方に通じていた。勝茂は有頂天から一変する。苦悩した。しかし、父の戦の読みは常に完《かん》璧《ぺき》だ。気に入らない父の教えだが従うことにした。石田三成らが関ケ原に集結せよといってきたが断り、関ケ原の本戦への参加を見合わせたのである。これがよかった。父の予想通り、石田方は敗北した。勝茂は切腹寸前までいったが、父のおかげで不問にふされた。

生涯、勝茂はこのことを忘れなかった。晩年まで、家臣たちに「これは、わが父の教えであるが」といって、冒頭の言葉を口癖のように繰り返した（『葉隠』聞書三）。自分の気に入らないもの自分に無いもの欠けたものが参考になることも多い。人や物事を好き嫌いの感情で切り捨てないほうがよい。この言葉のおかげで、佐賀藩鍋島家は幕末まで存続。雄藩となって維新の一角を担うことになる。

【水野勝成】（一五六四～一六五一）――――――――気概――

心立《こころだて》は如何《いか》なる大将軍にも恥ずべからざるように

水野《みずの》勝成《かつなり》は徳川家康のいとこ。家康生母お大のおいにあたる。家は刈谷城主の名門で勝成はその嫡子。戦場では滅法強いが、大変な乱暴者であった。

若き日、父の金庫番に「俺《おれ》は嫡子だ。父の物は俺の物。金を出せ」と迫り、拒んだ金庫番の首を打ち落とし、出奔。父に勘当され諸国放浪の身となる。家康のいとこなのに禄高《ろくだか》わずか一八石の下男に落ちぶれた。正月の祝《いわ》い膳《ぜん》でも下男は水しかもらえない。勝成は「せめて茶をくれ」と所望した。「俺ほどの侍に飲食の恥をかかせるな」といったが、茶坊主はからからと笑い「下男のくせに侍のつもりか」とあざけるばかり。勝成はカッとなって茶坊主を一刀両断。また出奔（新井白石『藩翰譜《はんかんふ》』）。

三五歳までそんなすさんだ生活を繰り返した。だが時は戦国。豊臣と徳川の抗争が始まった。勝成は家康のもとに馳《は》せ参《さん》じ、水野日向守と名乗って、関ケ原の合戦、大坂の陣で大活躍。「鬼日向」の名は天下にとどろいた。その軍功で備後（広島）福山一〇万石の大名となり、落ち着いた。

子孫に「水野勝成遺書」をのこし自分の武士道を説いた。勝成は「武士には一七の恥がある」という。「一、主君の命でも受けるべきでない命令は断って去るべき、それをせず、主家に留まる事。一、人の手柄をねたむ事。一、自分の武力の程を知らず、ちょっとした強さを大分強いと勘違いして自慢する事」と続く。

「味方が多い所では強気になり味方がいない所では弱気になる事」も恥。心持ちだけは大将軍家康に負けたくなかったのだろう。冒頭の如く遺訓している。武士の勤務にだけはまじめ。〈勤め向きは半時（＝一時間）早く出《い》で一時遅く退去と心得て交代すべき事〉（『視聴草《みききぐさ》』）と戒めている。

【江村専斎】（一五六五〜一六六四）――程々――

食を喫する些《いささか》、思慮も些、養生も些のみ

戦国乱世に生まれ、数え一〇〇歳まで生きた化け物のような男がいる。江村専斎《えむらせんさい》。京都の医者。〈齢《よはい》九十を過ぎて視聴衰へず〉目も耳も達者だった（『先哲叢談《そうだん》 後編』）。そのうえ超人的な記憶力で戦国期の京都で見聞したことを語った。なにしろ、この男は信長をその目で見て秀吉にも直接会っていた。

どうすればそんなに長く生きられるのか。時の後水尾上皇も不思議に思ったらしい。御所に専斎を呼び、尋ねた。するとこう答えた。〈もとより他術なし。平生、ただ些《いささか》の一字を守るのみ〉。上皇に「どういう意味か」と問われて冒頭のように答えた。「些」と

は少々ということ。「食べるのも少々。考えるのも少々。養生も少々にするだけです」。上皇は大きくうなずいた。

戦国の無常をみたこの男はどこかさめていた。「名と利は両方とも好むな。ただ名を好む者は利を好む者よりはましだ。名を好む者は自制するが、利を好む者はなんでもやるから」といった。彼は幼時、荒れはてた天皇の御所に侵入。土遊びをしたという。〈破れたる簾《すだれ》を折ふしあけて見れば人もなき体なり〉と回顧している。明智光秀のことも証言。「明智はいった。仏のうそを方便といい、武士のうそを武略という。(これに比べ)土民百姓はかわゆきもの」(『老人雑話』)。

専斎に親しんだ儒者がしみじみ回想する。「自分は二〇歳のときに専斎老人と会い、数十年交際した。年齢が違うのに気が合った。話して飽きず、穏やかで、怒鳴るようなことは一度もなかった」。淡々として物にこだわらず、若い人と普通に話せるのも、長寿の秘訣《ひけつ》ということだろう。

【鹿野武左衛門】（一六四九〜一六九九）――落語――

あきの田の刈るまで待たぬ我《わが》いのち　賤《しづ》がからだは雨にぬれつつ

鹿野武左衛門《しかのぶざえもん》は今日埋もれた天才だ。大坂生まれ。漆塗りの職人であったが生来話術が巧み。「江戸にはおもろいやつはおらんやろ」と思ったか江戸に下り、滑稽《こっけい》話を考えては芝居小屋や風呂屋で人々を笑わせはじめた。評判になり大名まで彼を座敷に呼ぶに至る。関東でうけた関西お笑い芸人の元祖といっていい。

関西でお笑い芸が発達したのは、古代から寺が多く法話の文化があり、室町以後、権力者が面白い話をさせる御伽衆《おとぎしゅう》をおいたことによる。

しかし鹿野が登場。一時は彼一個の力で江戸の笑いを日本の頂点に押し上げた。まだ関西でも路上で短い小咄《こばなし》をして投げ銭を稼いでいた時代、彼は「座敷仕方咄」を考案した。弁舌、仕方（身ぶり）、オチのある長いストーリーの三要素からなる今日の落語の原形を発明した。

彼は伊勢物語、源氏物語など古典にも精通。著書『鹿の巻筆』の跋文《ばつぶん》に、お笑い話も紫式部の源氏物語も「等し」と書くプライドをもっていた。「武左衛門口伝はなし」では冒頭の庶民感覚の狂歌を詠んでいる。百人一首の天智天皇の歌「秋の田のかりほの庵《いほ》の苫《とま》をあらみ　わが衣手は露にぬれつつ」をもじったものだ。天皇の歌も笑いのネタにした。

しかしこの天才は弾圧をうけた。無実の罪で伊豆大島に流罪。のち赦《ゆる》されたが衰弱死。作品もかなり失われた。彼の死をみて江戸では落語が百年停滞。お笑いは専ら出版中心となってしまった（関山和夫「落語の歴史」『国文学　解釈と鑑賞』六八巻四号）。出版は東京になったが、いまだにお笑いは大阪からだ。元禄は文化的巨人の出た時代だ。井原西鶴や近松門左衛門などは有名だが、鹿野はいまだ無名。記録しておく。

【安東省庵】（一六二二～一七〇一）――――――虚心――

人能《よ》く己《おの》れを虚《むなしゅ》うせば、善を人に取る

水戸藩主の徳川光圀は中国から亡命してきた大学者・朱舜水《しゅしゅんすい》から、ラーメンを教わり食したとされる。日本史上、朱舜水の存在は大きい。彼の影響下で成立した水戸学は、昭和戦前期までこの国の歴史に影響した。ただ、その陰で忘れられかけた人物がいる。安東省庵《あんどうせいあん》。長崎に流れてきた朱舜水に献身し、日本での活躍の道をひらいた。彼は勇猛で知られる柳川藩《やながわ》（福岡県）立花家の士であった。すべてに命がけ。「学ばずに生きれば獣。獣になるなら死ぬ」と本当に死ぬ寸前まで学問をした。天草の乱の時、悪い病気で全身膿《うみ》と血だらけだったが江戸から駆け付け、城壁に突進。それが〈十六〉歳の時だ。だから、朱舜水が来たと知ると、たちまち長崎に行って弟子の礼をとり、自分の禄《ろく》米《まい》の半分を舜水に提供。ぼろぼろの衣と鍋一つになってまで師の暮らしを支えた。

彼にとっての学問は納得できるまで道をさぐること。〈名を好むは学者の大病〉。身すぎ世すぎのための学問をしなかった。「学問の道さまざまありといえども畢竟《ひっきょう》は心をみがくことにとどまれり」（『理学抄要』）ともいった。「人間を愚かにするのは克伐怨欲《こくばつえんよく》、意《い》必固《ひつこ》我《が》の心だ」。競争心、驕慢《きょうまん》、恨み、我欲、凝り固まることが悪い。〈仁に志す。言を慎む。己を虚《きょ》にす〉。この三カ条を心がけて暮らそうと弟子にいった。大河や海はおのれを虚にしているからすべてをのみこめる。海のような男になれ、そうすれば善なるものを他人から学べる。死に臨んでは自分の墓碑銘や伝記、文集を編むのを禁じた。「我、才なく徳なし。死んでまで人を欺きたくない」。そう言い残して逝った。

【津軽信政】（一六四六～一七一〇）――――洞察――

我に親しけれども悪《あ》しきものをば悪しきと知り、我に疎けれども善をば善と知る。

「徳音録」という古写本がある。弘前藩四代藩主津軽信政《つがるのぶまさ》の言行を記したもので、図書館には東京大学に一冊あるだけだから、世界に数冊のかなり珍しい本だ。内容も一七〇〇年ごろの大名の思想構造がわかって申し分ない。

津軽信政は領国に木を植えまくった植林大名として知られ、明確な武士道政治論を持っていた。〈この世界は日本、大唐（中国）、天竺《てんじく》（インド）の三国なり〉というのが彼の世界認識。当時の日本にありふれた三国世界観だが彼の主張する国家アイデンティティーは興味深い。「天竺は仏の道で治める国。大唐は文国で文道で治める国。我が国日本は武道でなければ治まらぬ国」「日本は世界のうち武の国であり、その武国の武士に生まれたのは本望至極ではないか」と家臣に問いかける。

そしてこの武国の武士は武芸だけではだめだという。「文は武の助けとなる」と考え、我が国の武神・八幡宮（応神天皇）は「大唐より学者（王仁《わに》）を呼」んだ。そのように、武士は文武を忘れるなと戒めた。王仁は朝鮮半島の人ともいうから、大唐より呼んだというのは正確ではないが、とにかく、そういった。そればかりか信政は一国の産業に関心がないようでは「武士道不詮索《ふせんさく》。武士道はまず手軽く詮索し、その国その地の風俗土産名物まで悉《ことごと》く知らねばならず」といった。

戦国から江戸時代にかけて、武士道の内容は拡大解釈された。単なる武芸者から文武両道の士《し》へ、さらには産業知識をもった経済官僚へと変化していったのだろう。政治を担うに至った武士には公平な洞察力が要求される。信政は、士《さむらい》の最も重要な心得として冒頭のような言葉を残している。

【徳川吉通】（一六八九～一七一三）

仁政

一己を安くせむとて、数千の人を損ずるは不仁の甚だしきなり。

江戸時代の藩にも人員整理の話はあった。藩はご先祖様が召し抱えた「譜代」の士分を容易に放逐できない。藩で人員整理がなされる時には立場の弱い「一代限り」の足軽が真っ先に狙われた。そもそも藩の軍陣では足軽は鉄砲の弾よけでもあった。足軽が人垣を作り、上級武士はその内側で守られる。

尾張藩でもそうであった。一七〇〇年ごろ、家老たちが倹約のため人員整理を断行する。〈足軽の年老たるは無用の者なりとて二百余人〉に〈暇を出し〉た。

しかし、江戸時代の藩主は幼時から仁の政治を教え込まれている。藩主徳川吉通《とくがわよしみち》が待ったをかけた。人を壮年の時だけ使い、年老いて解雇すれば、生活に難儀する。二〇〇人の老足軽には妻子もいる。おのれひとりの安泰のため足軽家族数千人を犠牲にするのは不仁。冒頭の言葉で戒める。身分の〈上と下とは敷居《しきい》と鴨居《かもい》とに同じ〉、国家を共に支える。〈鴨居は上にありてその痛みすくなし敷居は下に在て働《はたらき》つよく物にあたること限りなし〉。下の者が痛みを受ける仕組みだから上に立つ者がこれを救わねばならない。そういって、重臣たちに足軽二〇〇人の解雇撤回を求めた。この藩主の言葉に重臣たちも落涙した。〈二百人の軽卒を悉《ことごと》く召帰（再雇用）〉した。当時の尾張藩にはまだその余力があった。

しかし、組織のなかに末端扱いされる人がいて、敷居のように踏みつけにされる悲しみは今もある。その痛みを私たちは分かち合えるのか。三〇〇年前の殿様の叫びが心に突き刺さる。

【細井広沢】（一六五八～一七三六）

自慢する人は皆其《その》芸ひきく（低く）して、心くらきゆへに、自我をしらぬ故也《なり》。

赤穂藩主の浅野《あさの》長矩《ながのり》は吉良上野介《こうずけのすけ》を突いて仕留めねばならぬところを情にまかせて刃を振り回し逃がした。だが家臣は違う。一流の武芸者がいた。とくに堀部安兵衛。討ち入りは〈大石（良雄）などいへ共《ども》、専らに安兵衛とりあつかひしなり〉（「異説区々」）と彼が主導。その堀部の親友が細井《ほそい》広沢《こうたく》である。江戸時代史上、細井ほど武士の諸芸をきわめた者はいない。とくに書の達人。この国で唐様の書風を確立。当時の天皇は彼の筆跡を渇望した。軍学、剣術、槍術《そうじゅつ》、柔術、弓馬、鉄砲まで万能。能も舞った。そのうえ西洋の天文測量術を研究。ラテン語やオランダ語で星座や月名がいえた。正月は「ヤニワーリ」Ｊａｎｕａｒｉｕｓと書いている（平岡隆二、日比佳代子「史料紹介『測量秘言』」）。

この細井が堀部ら赤穂浪士の知恵袋。細井は名利に恬淡《てんたん》。これほど諸芸の達人ながら「技を以《もっ》て道とし、道を以て技をする」といい、技芸を生活の糧にしなかった。冒頭のように芸を誇らず諸芸に達した（『観鵞《かんが》百譚《ひゃくたん》』）。こういう男だから堀部は細井にだけは事前に計画を打ち明け、吉良邸への討ち入り趣意書も細井に添削を依頼。決行当日、細井は「今宵《こよい》、天文を見る」と妻にうそをつき、屋根にあがって吉良邸の方角に火の手があがらぬか見守った。結果は成功。早朝、堀部が駆けてきて細井の門をたたき事の成就を知らせた。細井はすぐ外へ出たがもう堀部の姿はない。刀をひっさげてあとを追ったが追いつかず、韋駄天走りの堀部の後ろ姿がいつまでも細井の目に焼きついたという。

【中根東里】（一六九四〜一七六五）――清貧――

出る月を待つべし。散る花を追うことなかれ。

中根《なかね》東里《とうり》は徳川時代に存在したあらゆる学者のなかで、もっとも清貧に生きた人。驚くべき思想の高みに達しながら、世に知られず、今日まで埋もれている不思議な人物である。

その文章は卓絶。まず高名な儒学者荻生《おぎゅうそ》徂徠《らい》が彼を激賞した。江戸中に名声がひろまり、博士たちはみな〈慶元（慶長元和＝徳川創始時代）以来、希有絶無〉と驚嘆、その文才をうらやんだ。だから幕府や大藩の儒者となり高禄《こうろく》を喰《は》むものだと思われていた。ところが、彼は学問で禄をもらおうとしなかった。長屋にこもり、食のあるときは書を読み、食が尽きれば履物を作って市で売り小銭をえた。人々は彼を「皮履先生《かわぞうり》」とよんだ。同じ長屋に病人が出て、貧しくて薬がないと知ると、大切にしていた書物をことごとく売って与えたといわれる。

そんな風だから貧しさはどこまでも彼を追いかけた。五二歳の時、栃木の佐野で村塾をひらいていた彼のもとに弟がきた。「難産で妻が死に、育てられない」と三歳の幼女を置いて去った。東里は独り身。人生五〇年の時代、老い先も短い。自分が死ねば、この子はどうなるか。幼女を膝《ひざ》に抱き、彼は遠くをみつめた。そして筆をとって書いたのが冒頭の言葉。彼の塾の壁書のなかの一つ(『日本倫理彙編』巻之二)。

この言葉は人生のすべてにあてはまる。人生において歓喜の瞬間は短い。大切な人との別れもくる。しかし、桜は散っても、月は必ず出てくる。それを待つ時間をどのように大切に生きるか。母を失ったあどけない幼女を抱きしめ、この清貧の村儒者は、そのことを言い聞かせようとしていた。

【穀田屋十三郎】（生没年不詳）——互助——

一粒の花の種は、地中に朽《くち》ず、終《つい》に千林《せんりん》の梢《こずえ》に登ると謂《い》ふ事も候へ

旧仙台藩領・宮城の吉岡宿に「国恩記」（『仙台叢書《そうしょ》』一一巻）という記録が残されている。公というものが民を守らない時、どうすればよいのか。そのすさまじい歴史が記されている。

一七六六（明和三）年、吉岡宿の菅原屋と穀田屋《こくたや》の二人が頭を抱えていた。宿場町は藩への負担が重い。伝馬役があり、商売が減ると町から家々が退転。残った住民が一層困窮する悪循環だが、藩は知らぬ顔。菅原屋は考えた。このままでは共倒れだ。出せる

ものが拠金してまず千両（いまの三億円）の基金を作ろう。千両を藩の蔵元（御用商人）に預けて運用すれば年に約一〇〇両（同、三千万円）の利子がとれる。これを宿場の二〇〇軒に配分し、弱者も課役負担に潰されず、この町に住み続けられる仕組みを作ろう。

穀田屋十三郎《じゅうざぶろう》はこれを聞き「一粒の花の種から千本の林ができ、梢一面に花を咲かせることもある。まず我々二人が心を鉄石にしてこれを成就しよう」と応じた。私欲なき人間の覚悟は人を動かす。「藩に献金し、武士に取り立てを願う者は多いが弱者をあわれむとはなんと崇高な」。賛同する者七人が出た。ある者は家族の衣類まで売り金を作った。しかし藩は冷たい。「どうせ勝手な願い」と一度は却下。ただ藩も金欠。結局、基金創設を許可した。菅原屋たち九人は表彰されたが、その金一封さえ人々に配った。以後、吉岡宿の人々は維新までこの基金の恩恵を受け続けたという。

いま、この国、その地域が立ちゆく制度設計が必要なのは間違いない。一粒の花の種をみつけ、蒔《ま》かねばならない。二五〇年前の東北に生きた男の言葉が耳底に響く。

【牛田権三郎】（生没年不詳）

万人があきれはてたる値が出ればそれが高下《こうげ》の界《さかひ》なりけり

江戸時代の日本は驚くほどに相場の技術が発達した社会であった。先物取引やヘッジなど、あらゆるものがすでにあった。そのころの米相場師たちが、たくさんの秘伝書にしたためて遺している。江戸時代の相場秘伝書を集めて読んでみると、江戸時代に育《はぐく》まれた市場取引の思想蓄積はそれこそ世界遺産だと感じる。

なかでも「三猿金泉秘録」（一七五五年）は秀逸。著者の牛田《うしだ》権三郎《ごんざぶろう》は伊勢の人ともいわれるが謎の人物である。〈予壮年の頃より米商に心を寄《よせ》昼夜工夫をめぐらし六十年〉。ついに相場の極意を悟り、この書を書いた。その記述は合理的だ。〈買米を一度に買うは無分別、二度に買うべし、二度に売るべし〉と投資リスクの時間分散を説き〈万人が万人ながら強気なら、たわけになりて米を売るべし〉とバブル的過熱相場からはいち早く手じまえといった。

それだけではない。政府の市場介入への対処法まで説く。政府が介入したらまずは追従する。〈将軍の買いあげなら、いつにても、米にむかうて買の種蒔《たねまき》〉。将軍が米買いに出たら自分も少しずつ買う。しかし政府による市場介入の資金はいつか尽きる。対処法もちゃんと書いてある。〈将軍の金づまりは、いつにても、米に随《したが》ひ売の種蒔け〉。実にシビア。市場介入は資金が切れたらおしまい。相場師は一斉に反撃する。

彼は米相場を動かす力の源をこう詠んでいる。〈理と非との中にこもれる理外の理、米の高下のみなもとと知れ〉。実に哲学的だ。これはひとり米相場だけにあてはまる話ではなかろう。政治も社会も経済も人間がなすことはすべて「理外の理」によって動く。

さて相場というものはどこまで上がるのか。またどこまで下がるのか。牛田にいわせれば「万人があきれはてたる値が出」るまで上がる。しかし万人があきれ果てるのは一体何円か。それは人間心理の問題になるから難しい。

【加賀千代】（一七〇三〜一七七五）——独身——

花もなき身はふりやすき柳かな

加賀千代《かがのちよ》は江戸中期の女性俳人。加賀国は松任の人である。「朝顔に釣瓶《つるべ》とられてもらひ水」の優しい一句で知られる。近所の古美術店に一幅、掛け軸があった。加賀千代筆の竹の水墨画らしい。画賛《がさん》の文字は「色つかぬ身はこの恩に泣く私」と読めた。男に縁がなく竹のように色気のないこの身。ありがたくて泣けてくる私。そんな意味だろう。

しかし千代がモテなかったはずはない。今風にいえば、美しすぎる俳句少女であった。当時の大俳人・各務支考《かがみしこう》は彼女のことを〈表具屋の娘に千代と申して美婦生年十七歳〉と書いている。各務は「この子は最初から不思議に名人。他人に添削してもらうな」と指導。女性の心を素直に句にするよう教えた。山東京伝《さんとうきょうでん》も〈容色美にして言語少なく常に閑寂を好む〉と記しているから、物静かな美しい人だったのは間違いない。

この天才少女は一八歳ぐらいで金沢の足軽に嫁いだ。松任よりも都会の金沢に嫁げばもっと俳諧ができると思ったのかもしれない。ところがすぐに夫が死んだ。美しい千代にはそのまま夫の弟との再婚話がもちあがった。だが千代は結婚生活よりも自由を求めた。たくましいもので「花もなき身はふりやすき柳かな」と独身の自由を謳《うた》い、実家に帰った。以後も諸方から縁談が舞い込んだが承諾せず専ら俳諧を楽しんだ。父母もあきらめて、その心にまかせたという（『加賀の千代全集』）。

俳諧のほうが楽しかったのだろう。おしゃれも面倒。五二歳で髪を剃《そ》り「髪を結う手の隙あけて炬燵《こたつ》かな」とよんだ。おしゃれや恋愛などしないほうが身軽でいいと言い放つ女性は、江戸時代にもいた。

【宇佐美恵助】（一七一〇〜一七七六）——直言——

御一心にて決断し給ふべし。

宇佐美恵助《うさみえすけ》は儒者。荻生徂徠の弟子で松江藩一八万六千石に仕えた。これほど大名にずけずけ意見した儒者も少ない。第一、宇佐美は大名に教えを請われても礼を尽くした招聘状《しょうへい》がなければ応じなかった。それでも大名たちが彼を必要としたのは彼が経済を語れたからだ。

ゆらい、この国の経済学は荻生徂徠『政談』→太宰春台『経済録』→宇佐美恵助→海保青陵と、荻生徂徠の学派のなかで発展をみた。もっとも江戸の経済学は経世済民の領民統治学で、近代的な意味での「合理的資源配分の学」ではなかった。とはいえ、儒者が抽象的な道徳をこえて、具体的な政策学を論じ始めたのは大きかった。

私はこの徂徠学派の経済書をあつめている。先日は宇佐美が一七六一（宝暦一一）年、松江藩主にあてた政治意見書をみつけた。当時、松江藩は財政難。幕府から比叡山延暦寺の工事まで命じられ「国の大難至極の時」であった。ところが藩主は江戸屋敷で夜遊び。宇佐美は「お目を覚ましなさい。夜遊びをやめなさい」といさめている。「政事で一国中の臣民の寿命は短くも長くもなる。殿様一人の身にかかっている」とも。政治の目標を国民寿命の延長と言明したのは政治思想として画期的といっていい。

宇佐美は「臣下より難事を殿様に責めるのが殿様を尊ぶというものだ」とうそぶき、藩主に遊興用の踊り舞台を即時に壊せ、と迫った。改革は人に相談すると惑わされる。「君は風なり。臣は草なり。上のやり方次第で下はいかようにもなびく」（「宇佐美恵助上書」）。一人で決断を、といった。この藩主は駄目だったが、宇佐美が教育した松平不昧《ふまい》の代に松江藩は改革をなしとげている。

【近松茂矩】（一六九七〜一七七八）——————————諜報——

何事ニテモ一通リニ、サット見ス、聞《キカ》スシテ、トックリト念入レテ見ツメ聞《キキ》ツメル

忍者が江戸時代の藩で、どのように活動していたのかの研究は、おくれている。しかし、尾張徳川家については、少しばかりのことがわかる。尾張藩徳川家の旧蔵書「蓬左文庫」には近松茂矩《ちかまつしげのり》の忍術伝書が残されているからだ。

近松茂矩は尾張藩の兵学者。少年期より博覧強記。四代藩主徳川吉通から「武道全流道知辺《みちしるべ》」を命じられ（『朝日日本歴史人物事典』）、あらゆる流派の武術と兵学を学び一〇〇冊以上の書物を書いた。八代将軍吉宗の時代、幕府と尾張藩が対立したが、そのこ

ろから近松は用間《ようかん》（諜報《ちょうほう》）の著述をはじめた。甲賀者の木村康敬、伊賀者の竹之下頼英から秘伝を聞き「用間加條傳目口義《ようかんかじょうでんもくくぎ》」（一七三七年）などにまとめた。私は活字化されていないこの本を解読し鉛筆で手写《しゅしゃ》して帰った。

近松は甲賀者の秘伝〈第六〉として〈見詰聞詰之大事《みつめききつめのだいじ》〉を教わった。それは気味の悪い話であった。見詰・聞詰とは偵察・聞き込みのこと。が、そのとき甲賀者はある物を〈堅く手の内に握りしめて居〉る。〈犬ノ、ツルミタルヲ二疋《ヒキ》ナガラ殺シテ〉雄雌犬の開とふぐり（生殖器）を取り出し、人に知れず四ツ辻に埋め、七日後に取り出し、家内に七日〈陰干《カゲボシ》ニシテ護摩ノ壇ニ七日置《オイ》テ〉作った、まじない物である。江戸時代に入っても忍術が呪術性を完全には失っていなかったことを示している。

忍びは〈コレ耳目ノ役ナリ。一タビ見聞ヲ誤ル時ハ、一軍ノ傾敗《ケイハイ》、国家ノ滅亡ニ至ランモ知ルベカラズ〉（「用間伝解《ようかんでんかい》」）。それゆえ甲賀忍者はこの奇怪な物体を握りしめて緊張感を保ち、漠然と事物を見聞きさせぬよう心がけるのだという。

【細川重賢】（一七二一～一七八五）

生死を民と共に致すべき心得もっともに候《そろ》

細川重賢《ほそかわしげかた》は熊本藩八代藩主。殿様の子に生まれたが五男。部屋住み時代が長く苦労した。本代がないと袴を質屋にいれたり、庭で雀を捕まえて食べたり、醤油がないときは家来に借りたこともある。

江戸中期の名君といえば米沢藩の上杉鷹山が有名だが、重賢は鷹山の政治の師匠といっていい。鷹山は親子ほど年齢がはなれた重賢を敬愛。重賢がはじめた熊本藩の改革手法に学び米沢藩を改革した（磯田道史「藩政改革の伝播」『日本研究』第40集）。

江戸も中期になると、どこの藩も財政難。そのなかで、いち早く大胆な改革に手をつけたのが重賢率いる熊本藩であった。結果、熊本藩では年貢収入が増加。「ある年などは七カ所ある藩の蔵屋敷に年貢米が入りきらず屋敷外に垣根を結び（米俵を）大山と積んだ」（大村荘助「肥後経済録」）。これをみて諸藩はうらやましがった。

なかでも当時五万石に領地を減らされていた美作国津山藩は財政が破綻状態。なんとかしたいと藩主松平康哉《やすちか》自らが重賢に教えを請うた。すると重賢は書状をしたため懇切丁寧に政治心得を説いた。「鷹狩りのついでに民の憂苦を察するぐらいでは意味がない。自分から民に近寄って見届けてくる位でないと視察は役に立たない。士民に心を配りその暮らしが塗炭に落ちないよう昼夜心がけるのが肝要」といい、〈生死を民と共にする心〉を政治の心得として説いた。

自分の後継ぎには「国家を治め身を治めるのも、みな金銀米銭の取り扱いようから万物が起きる。大名とて、これを家臣任せにするな」（「肥後侯訓誡書」）とアドバイスしている。

【三浦梅園】（一七二三～一七八九）――――――――――

理屈と道理のへだてあり。理屈はよきものにあらず。

富士山の如く思想家にもただ一人そびえたつ者がいる。三浦梅園《みうらばいえん》は日本人のほとんどが迷信や陰陽五行説にとらわれていたとき、西洋近代の科学哲学にひけをとらない思考を、大分の寒村で繰り返していた。奇跡のような人物である。

幼時から、ただ者でなかった。思考が極めて論理的。家に近江八景の屏風があり、夜雨の情景が描かれているのを見て「暗黒の夜、こんなに雨は見えない。風情としてはいいが風景としては不可だ」といった。これが〈八歳〉。しかし家には字引がない。師友もいない。難解な文字に出会うと紙に記し、数十字たまると遠いお寺まで月に数回、字引を見せてもらいにいった。十六、七歳になりようやく学者に学んだ。

彼は、人々が当たり前と思っていることに決してだまされない子だった。〈疑い怪しむべきは変にあらずして常の事なり〉といい、〈自分の垂髪より触る所、総て疑〉い寝食忘れて天地宇宙のしくみを考え続けた。〈石を手にもちて手を放せば地に落ちるは、いかなる故ぞ〉と問えば、普通の人間は〈重きによりて落ちる也。知れたる事〉と思考が停止する。しかし彼は徹底して疑い、重力・引力の存在にまで思いが及んだ。ついには西洋の天文学も学び、彼は江戸中期の日本で宇宙と世界を最も理解した人物になっていた。

彼は人間が作った理屈と自然の道理は違うといった。親が羊を盗み、その子に、たとえ親でも悪は悪、訴えろ、というのは理屈。親の悪事を子が隠したくなるのは道理。両者は違う。梅園は人間の作った理屈にとらわれない道理の探求を重視。この国の思想を大きく合理主義の方向にもっていった。

【堀 勝名】(一七一七〜一七九三)

旧典なりといえども、治平《ちへい》久しく、今に至りては、時勢人情に齟齬《そご》し、処置の当《あた》らざることあり。

裁判員制度の是非はともかく、司法制度改革と聞いて堀勝名《ほりかつな》のことを思い出した。堀は江戸中期の人。細川重賢《しげかた》の臣で熊本藩宝暦改革を主導した。この改革は一地方の改革であったが日本全土の近代化に大影響を及ぼした。

堀の司法制度改革は驚異的。刑法という言葉も彼の改革で広まった。江戸時代は町奉行や郡奉行が仕置きと称し奉行所の白洲《しらす》で民を裁くのが常識であった。ところが堀は行政官である奉行が司法官を兼ねれば公平さを欠き、仕事も煩雑になると、これを廃止。

「刑法局」という司法専門の役所をつくり、裁判を専管させた。それで熊本藩だけは近代国家よろしく「行政と司法の分離」を実現していた。明治維新のはるか一〇〇年以上前のことである。

それだけではない。堀は刑務所もつくった。元来、領主の刑罰は死刑と追放刑が主。盗めば初犯は追放。再犯は死刑。これでは追放された者は衣食の便を失い飢えて再犯に及ぶ。堀は〈再犯を死刑に処するときは、則《すなわち》、これを穽《せい》に陥《おとし》いれて殺すに似たり〉といい、懲役刑（徒刑《ず》）の創設を決意した。受刑者を午前八時から午後二時まで働かせ、日当（米一升）のうち三分の二を即日支給。残りを藩が貯蓄し出所時に更生資金として与える制度を考えた。今日、刑務所は当然の存在だが当時は熊本藩の発明品に近かった。

司法は過去に定めたルールを運用する世界。ゆえに先例墨守に陥りやすい。冒頭はそれを戒めた堀の言葉（熊本藩「刑法草書」序、一七五四年）。彼はむち打ち刑の導入にあたり、実際に自分の尻を打たせ、痛みの程度を確かめてから、打つ回数を定めたという。

【細井平洲】（一七二八〜一八〇一）――人選――

十人に三人とも、不良の臣交《まじ》りつかうまつれば、七人の忠良は有《あり》てもなきが如《ごと》し。

あらゆる職場にいえることではないかと思う。一〇人中三人まで、よくない人がいると、のこりの七人がいくらまともでも無力化されてしまう。人間は弱いもの。三割ほどが自分勝手を言い出すと、そちらのほうが勢いをもち、安易に流れて、正論が敗れる。
細井《ほそい》平洲《へいしゅう》は江戸時代の儒者。はじめ貧しく両国橋のたもとに辻講釈に出ていた。編み笠をかぶり、扇子一本もって辻に立ち、通行人に道徳を説いて銭をもらうのである。平洲が語れば人だかりができ、やがてその話に感じてすすり泣く人が絶えなかったという。そのありさまを米沢藩の儒者がみかけ、藩主上杉鷹山の師に抜擢《ばってき》された。平洲は鷹山に必死で説いた。

我が身が餓《かつ》え凍える苦しみより、まず子供らが餓え凍えることを歎《なげ》き悲しむのが人の天性です。民百姓にとって餓えから救ってくれる親は殿様以外にいません。臣民を子供のように思えば御一人だけ安楽には居られない筈《はず》です。どうか臣民と艱難《かんなん》をわかちあって藩の無駄遣いを省き、飢えた民を救ってください。

鷹山は純真な心をもっていた。平洲にはげまされて米沢藩の大改革を決意。しかし既得権にしがみつく人々の抵抗が予想された。平洲は改革を成功させるには藩主のまわりを志のあるまっとうな人間で固めなければならないと説いた。

冒頭は平洲の遺著『嚶鳴館遺草《おうめいかんいそう》』の「もりかがみ」にある言葉である。〈十人の臣に一人不良の臣立《たち》まじれば、一人の毒まはり、すみやかなり〉ともいっている。組織の運命は人選びにかかっている、といえようか。

【慈雲】（一七一八〜一八〇五）――――――――――浩然――

天地をもって、わが心とせば、いたるところ安楽なり。

慈雲《じうん》は江戸時代中期の真言宗の僧。高松藩の蔵役人の子として大坂に生まれた。俗名は平次郎。幼時より豪胆であった。一一歳のとき兄が父の機嫌をそこね家を追い出された。母たちは夜中この兄を捜し歩く。平次郎は深夜まで父の枕元に正座。「お兄ちゃんの勘当を許してくれるまで動かない」と粘り、ついに「おまえに免じて兄を許す」と父にいわせた。平次郎は兄にこれを伝えようと外に出ようとした。父は脅した。「大坂には犬が多い。吠《ほ》えつかれて路《みち》も通れないぞ」。しかし平次郎は「この刀で斬《き》って通る」と言い放ったという（『慈雲尊者伝私見』）。

ほどなくして父は死去。平次郎は出家させられ僧に。修行は猛烈。儒学、詩文、顕教、密教すべて学んだ。しかし限界に気づいた。本来、仏教はインドのもの。漢訳の経文では真の仏法に迫れない。そこで慈雲はなんと独学で古代インドのサンスクリット語を研究。文法まで解明してしまった。彼は人々に、身に三つ口に四つ意に三つの、十のいましめを守るようにすすめた。殺さず盗まず邪淫《じゃいん》せず（身三）。嘘《うそ》つかず無駄口たたかず悪口いわず二枚舌をつかわず（口四）。欲張らず怒らず、よこしまな物の見方をせず（意三）の「十善戒」である。

慈雲は仏法を究めるなかで人間の幸せについて悟ったらしい。数々の名言をのこしている。冒頭は「慈雲尊者短篇《たんぺん》法語集」にある言葉。日や月は下を照らすが自分の恩恵としない。山や川は生きとし生けるものを育《はぐく》むが自分のものにはしない。そういう天地のようなひろい気持ちになれれば、案外、人間は楽に暮らせる。そう説いている。

【徳川治保】（一七五一〜一八〇五）

茶事ノ要トスル所ハ、朋友《ほうゆう》相ツドヒテ、信実ヲ以《もっ》テ相マジハリ、奢《おご》リヲ禁ジ、質素ヲ本トスル事《こと》、第一ノ事ナルベシ

江戸時代、おおかたの大名は安逸に日を送った。政治は家老がやる。殿様仕事は午前中で終わり、あとは能を舞うか、茶碗《ちゃわん》をなでた。とりわけ茶道は大名の趣味のなかでも最たるものであった。だが、それはある意味、民殺しでもあった。茶道具を集める費用は膨大であり、その金があれば餓死する領民が救えた。

それに気付いていた大名もいた。水戸藩六代・徳川治保《とくがわはるもり》である。彼の水戸藩は深刻であった。なんと一〇〇年間人口が減り続けていた。当然であった。農政を担う郡奉行は

たったの四人。しかも農村から離れた城下で執務していた。治保はこれを改革。郡奉行を一一人に増やし百姓家を巡らせ、自分の生活費を倹約して、その金で稗《ひえ》を買い、餓民に配った。「民を苦しめない政治をしていれば、あとで必ず国の利益はついてくる」が彼の持論であった。

このまことに誠実な大名が「茶事の本意」という茶訓を遺《のこ》している（久信田喜一「水戸の石州流茶人たち（三）」『耕人』第8号）。本来、茶事とは朋友が信実の交わりをなすもの。しかし治保の目には茶事が実《じつ》のある人間交際の場に見えなかった。自慢の茶道具をならべるだけの集会に見えた。「珍器を集めるだけに心を傾けるようなのは最も卑しむべき事ではないか」と彼はいった。ある時、家臣の一人が治保の茶碗を割った。「苔清水《こけしみず》」という水戸家重宝の茶碗であった。だが治保はこういったという。「茶碗が割れたのより、おまえが苦悩するほうが、わしには困る」（『水戸紀年』）。信と実をもって人と交わる茶とは、こういうことなのかもしれない。虚栄物欲を捨て去るのは難しいが、一瞬でもそれを乗り越えるとすがすがしい風が心のなかに吹いてくる。治保はそういう茶をめざした。

【田中玄宰】（一七四八〜一八〇八）――政治――

治《おさめ》候《そろ》と申儀《もうすぎ》は利用厚生の事にて是《これ》より始候《はじまりそろ》

会津藩は幕末政局を動かした。これは不思議なことだ。薩長土肥はいずれも気候温暖な海洋の大国。会津藩は東北の寒村盆地を領するにすぎない。それがなぜ、あれほど活躍できたのか。

田中玄宰《たなかはるなか》という家老が天明飢饉《ききん》（一七八二〜八七）の時代にあらわれ藩政を徹底して改革したためだ。会津藩は領民が一六万人↓一一万人に激減。これをみて田中は改革を決意。その思想の背景を分析した研究はまだないから書いておく。

田中は改革にあたり熊本藩出身の儒者・古屋重次郎（鬲《れき》、昔陽《せきよう》）を顧問に招いた。当時、熊本藩が改革の成功事例とされていたからである。古屋ら熊本藩の改革手法は単純だ。「分職」といってまず藩官僚の職掌、担当を明確化する。聖典の『書経』に〈政は民を養うにあり〉とある通り、国民生活を守るための官僚の役割分担の確定を第一とした。すなわち国民を養うには『書経』に書かれた「利用」と「厚生」の二つに政治が責任を持たねばならぬと古屋はいった。〈利用とは器械に事欠《かか》ぬように拵《こしら》へ出すなり〉〈厚生とは勝手むき不如意ならぬように世話をするなり〉（古屋昜『詢蒭邇言《じゅんすうじげん》』）。つまり、政治とは、産業に必要なものを提供すること、国民生活が不如意にならぬように世話をすることにつきる。

　田中はこの考えに賛同。冒頭のように「利用と厚生」を重視した改革の開始を宣言した。それまで藩の役所では衆議といって長々会議をしていたが、田中は「多数意見に付くだけで決断できない」といい、政務の分担を定めて担当者が一人で決定し、すばやく実行できる体制にした。さらに藩士を藩校で厳しく教育。会津藩の変貌《へんぼう》はここから始まった。

【司馬江漢】（一七四七〜一八一八）——悟道——

人、一生涯、衣食住の為《ため》に求め得る処《ところ》の諸器諸家具、己《おのれ》に得んとて利を争いて求め得る処の物は、皆塵《ちり》なり。

大名でもなく学者でもなく、まずは巷間《こうかん》の絵師からその思想に達したことに、江戸という時代の輝かしさがある。司馬《しば》江漢《こうかん》は洋の東西によらぬ全人類的知識でもって宇宙のなかの人間の存在を思索した最初の日本人の一人であった。思想のスケールが桁違《けたちが》いに大きい。はじめ浮世絵師。のち写実をもとめて中国花鳥画さらに西洋絵画にすすんだ。彼の写実は科学的観察をともなっていた。顕微鏡で蟻《あり》を見て全身の毛までスケッチ。人間とは何かを彼は考えた。卵巣や胎児の解剖図を描き、人間認識の秘密を知ろうと眼球や耳底の構造に異様な興味を示した。宇宙の構造、月や太陽までのおおよその距離も知っており、山形の山中で化石を見て地球規模の地殻変動に気づき〈吾《わが》日本も亜墨利加《アメリカ》の地と接続するならん〉（『春波楼筆記』）といった。ダビンチのような男は江戸にもいた。

彼は人間も魚も虫もその身体の基本構造は全く同じで、色が見えたり音が聞こえたりするのは脳神経の働きにすぎない、食を求め生きるための業を行い喜怒哀楽の感情が生じると悟った。

江戸時代にあって彼の思想は過激であった。上は天子将軍から下は庶民に至るまで〈皆もって人間なり〉といい、〈神経及び耳目手足の機〉をもつ生類としては小虫も人間も〈異なる事なし〉と断じている。人間がほとんど水分であることを認識しており、「いわば人型の水筒。その水を大海に投じ一滴大海の水となって散乱するようなもので人の死は天地からきて天地に帰るだけ」ともいった。一人で悟道に達した彼にとって、財産などは塵《ちり》のようなものであったのだろう。ものが見えすぎる彼は江戸の世を生きつつ、一人で笑うしかなかった。

【塙 保己一】（一七四六〜一八二一）

命かぎりにはげみなば、などて業の成らざらんや

塙保己一《はなわほきいち》は武蔵国児玉郡保木野村（現・埼玉県本庄市）の農民の子。〈三歳の年より、肝を病みて五歳の春、俄《にわか》に盲目とな〉った。一二歳には母も失った。ひとりで生きていかねばならぬと思った。翌年、素麵《そうめん》箱に着替えを詰め、それを背負って親元を離れた。幼時、まだ目に光があったときにみた野辺のスミレの美しい色と、母の面影を胸に江戸へ出た（『温故堂塙先生伝』）。

雨富須賀一という検校の盲人一座に入門した。当時の盲人は必ず琵琶、琴、三味線を習い、はり・きゅうをおぼえて暮らさねばならぬ。修業の日々が始まった。だが保己一

だけは一向に上達しない。三味線を習っても〈一夜の程《ほど》にわすれて、明日はしらずなりけり〉という有り様。三年やっても曲はおろか音程も合わせられない。しかたなく師匠ははり・きゅうを習わせた。ところが医学書を読むほうは人に優れて、二度読ますと、次には一文字も間違えずに読むのだが、実技はまったく駄目。あまりに駄目なものだから保己一は傷ついた。〈かくては世渡りの術なし〉と思いつめ、江戸城の牛ケ淵《ふち》堀に身を投げて死のうと堀端をうろつきはじめた。しかし「命の限り励めば出来ないことがあるか」という言葉が頭にちらつき、思い直した。

師匠の雨富も偉い。保己一にこういった。「盗みと博奕《ばくち》以外、何でも好きなことをやれ。三年間はおれが養ってやる」。ここから保己一の運命が変わりはじめた。彼は片っ端から書物を音読してもらい、超人的頭脳で記憶し、盲人として空前絶後の大学者となった。本人は、自分には何か向いたものがあると信じて探すこと。周囲は人を型にはめず才能の発見につとめること。この二つが先行き不安な人間を光へと導くものらしい。

【只野真葛】（一七六三～一八二五）――寛容――

今の世の人気はやりは人を倒して我富まんと思う心。なんとかこの心を翻し人良かれ我も良かれと思わせたい。

こういう女性があの江戸の世にいたこと自体、奇跡である。これほど独創的な思考をした人間を私は見ない。只野真葛《ただのまくず》のことである。父は仙台藩医・工藤平助。ロシア研究書『赤蝦夷風説考《あかえぞふうせつこう》』を著した、当時屈指の国際情報通。真葛はこの父から世界情勢を学んでいた。

そのため真葛の視野は著しくひろい。「ロシアでは建具屋や獣問屋、酒問屋の頭が老中（政府高官）になっている。養老院も孤児院もある。どうして日本はそうでないのか」。そんなことを考えていた。帝さえ恐れない。江戸時代の天皇は領地が少ないから、御所の金で高利貸をしていた。真葛はそれを批判。〈一天四海をしろしめす皇尊の、国人の油を絞らせられて御身を富ませ給ふは汚らわしきことならずや〉

真葛の鋭すぎる頭脳は最高権力者の矛盾点に気づいていた。例えば将軍や大名の行列。〈ヲロシア〉では〈歴々の役人も供人を連れず国王のみ五人程《ほど》〉の警護で外出するが「日本のお供の多さは嘘《うそ》みたいだ」と批判。彼女はこの原稿「独考《ひとりかんがえ》」を小脇にかかえて大作家滝沢馬琴を訪ね、添削と出版を頼んだ。しかし、そういわれても困る。馬琴は絶交を通告した。その結果、この女性思想家は長く歴史に埋もれた。「独考」の原本は関東大震災で焼失。どこからか写本が出てくることが期待されているが、現在も全編は発見されていない。

真葛は〈女一人の心として世界の人の苦しみを助けたく思う〉といい、〈世界の万民〉が〈金争い〉に苦しむ〈心の乱世〉を警告した（『只野真葛集』）。世の流行は人を倒して自分が豊かになろうだが「他人にも良い。自分にも良い」と一同が思えるような世界に発想転換を。この女性は一人でそれを考えていた。今の我々にも向けられた重い言葉である。

【大槻玄沢】（一七五七〜一八二七）

事業はみだりに興すことあるべからず。思いさだめて興すことあらば遂げずばやまじの精神なかるべからず。

語学を学んだ者なら誰しも感じることだが言語は広大な海。異国の言葉をものにするのは大変だ。ましてや十分な辞書や語学書もなく一から未知の言語に挑むのは、ひとりぼっちで海図のない大海にこぎ出すようなものだ。

大槻玄沢《おおつきげんたく》。この男が出るまで日本人が西洋学を学ぶのはまさにそんな途方もない道であった。しかし彼が『蘭学階梯《らんがくかいてい》』という簡潔かつ適切な蘭学入門書を刊行した。一七八八（天明八）年のことだ。以後、寒村、山奥、津々浦々からも蘭学者が湧くが如く出た。

西洋列強に襲われるはるか前に、近代の科学技術を取り入れる素地を完成したこの国は植民地化をまぬがれたとさえいえるかもしれない。

「洋学始末」という和本に、大槻玄沢の生涯が詳述されている。

玄沢は一関（岩手県）の医家の生まれ。他の子と遊ばず、日夜、伯父から故事（昔のこと）を学ぶ変わった子であった。江戸のオランダ医学の噂《うわさ》をきき杉田玄白に入門。驚くほどねばり強い男で、わかるまであきらめず、しつこく質問する癖があった。最初、前野《まえの》良沢《りょうたく》は仮病をつかって追い返したが根負けして全部教えたという逸話がのこっている。玄沢は安易に仕事は引き受けなかった。しかし一度引き受けたら絶対にやり遂げた。それで著した著作は三〇〇冊ともいわれる。

事業はみだりに手掛けるな、手掛けたら完成するまでやめない精神が必要といった。辞書『言海』の著者で孫の大槻文彦がこの言葉を記録している。玄沢は江戸に居ること五〇年、ずっと同じ郷里の安たばこを吸い続けたという。

【松平定信】（一七五九〜一八二九）——公開——

隠すと申すは、潔白ならぬ事より起《おこ》り候、此方《このほう》は腸《はらわた》を出して、政事《せいじ》を致す心底に候

松平定信《まつだいらさだのぶ》は八代将軍徳川吉宗の次男、田安宗武の子。江戸幕府の老中・将軍補佐として寛政の改革を主導した。

本来、将軍職を継いでもおかしくない貴公子に生まれたが満一五歳で白河藩一一万石（福島県）の養子に追いやられた。定信は才走っていた。将軍候補にしたくない一橋治済《ひとつばしはるさだ》と田沼意次《おきつぐ》の策謀とされる。白河は寒い。藩は貧乏。天明の大飢饉《ききん》で百姓は飢えていた。定信はこの貧乏藩の改革を決意。まずは人材登用の要点を指示した。それまで白河

藩では〈温和の様にて、無口な、おとなしき、引込み思案な人〉が良い人として任用されてきたが、これでは改革できない。〈此上《このうえ》は元気な者、器量ある者をも選ぶべし〉

そのうえで定信は画期的なことをやった。財政の公開である。近代国家では財政は原則公開。だが近世の藩国家では財政は「御内証《ごないしょう》」ともよばれ秘密事項。担当役人以外には知らされなかった。だが定信は「隠すというのは潔白でないことから起きる。自分は腸を出して政治をする心底だ。隠すのは為《ため》にならない。今年は一万両の蓄えができたと隠さず言えば、みな譜代の家来だから安心する。隠すから、へたへたと元気がなくなるのだ」(『御行状記料』)と言い、藩士たちに決算を公開した。定信は情報公開を行ったうえで解決策の上申を求めた。祖父吉宗にならい白河藩にも目安箱を設置。〈国家の為と思ふ事は、下が下迄《まで》、聊《いささ》か隔《へだて》なく言上すべし〉と命じた。

解決は現状を知り、問題を共有することからはじまる。財政が公開されている今日でも国の会計は複雑で見えにくい。特別会計や外郭団体など見えにくいところに問題が隠れている。

【渡辺崋山】（一七九三〜一八四一）

眼前の繰り廻《まわ》しに、百年の計を忘るなかれ。

渡辺崋山《わたなべかざん》は江戸時代後期の画家。三河（愛知県）田原藩という一万二千石の小藩の家老をつとめた。蘭学知識で知られる。幼時、崋山の家は極貧であった。幼い弟や妹は奉公にやられ、貧苦のうちに死んだ。崋山は家計を助けようと、不眠不休で灯籠《とうろう》画を描き、一枚十文ほどで売り、わずか二〜四時間しか眠れなかったという（小沢耕一『崋山渡辺登』）。

苦労人の崋山は「商人八訓」という商業心得をのこしている。「一、まず朝は召使より早く起きよ。一、十両の客より百文（匁）の客を大切にせよ。一、買い手が（商品が）気に入らず返しに来たらば、売るときより丁寧にせよ。一、繁盛するに従ってますます倹約をせよ。一、小遣いは一文よりしるせ。一、開店のときを忘るな。一、同商売が近所に出来たら懇意を厚くし互いに励めよ。一、出店を開いたら三カ年は食料を送れ」

「八勿《こつ》の訓」という交渉時の心得も書いている。真木重郎兵衛という用人を藩金調達のため大坂に派遣したときに与えたものである。冒頭の言葉は、その一つ。交渉時には、相手と面談するから、情がわいたり、あせったりして、根本を忘れがちだ。目の前のことに惑わされず、基本を考えよという。〈大功は緩にあり。機会は急にあり〉。大仕事は長い間の積み重ねだが、チャンスは急にくる。だが冷たい気持ちで相手と交渉してはいけない。〈面は冷なるを欲し、背は暖を欲するというを忘るなかれ〉。表面上、冷たい顔をしていても心中は温かい気持ちで交渉に臨むべし。応対は笑顔だが内心は冷たい商談が多い昨今、考えさせられる。

【有馬頼永】（一八二二〜一八四六）——堅物——

予《よ》、少年ノ身、已《すで》ニ一妻アリ。今、美色ヲ娯楽スベキノ時ニアラズ。

有馬《ありま》頼永《よりとう》は久留米藩二一万石の嫡子。殿様は側室をそばに置く。父が若様にすすめることもあった。

頼永は〈十八歳前後、父君より、枕衾《ちんきん》（寝床）を奉ずる侍妾を蓄へ〉ることを命じられた。固辞したが許されない。父は強引。〈絶美婦人を求め、之を公（頼永）に納《い》れ〉てきた。頼永は困った。彼には妻がいた。〈青年の時、情欲を制すること最も難し〉というが、彼は冒頭のようにいって、父が連れてきた絶世の美女を近づけなかった。係りの者もこればかりは〈強《し》ゆること能《あた》はず〉、その旨を上申。〈女は終《つい》に返せり〉となった。

頼永は若様時代から政治に熱心であった。江戸後期、一般に、殿様は藩政を家老らの合議に任せたが彼は「政事を見習う」と称して、月に二、三度、その家老合議に臨席した。父や家老はこれを煙たがり「美女を近づければ、若様も少しは丸くなるのでは」と思ったらしい。

頼永が藩主になった時、家老が「前の如く毎月三度、臨席されますか、されませんか」ときいた。すると、頼永は「馬鹿をいうな。今から毎日、藩庁に臨席する」と一喝し、朝から藩庁に出座して親政を行ったという。当時、久留米藩は債務の山。「このままだと負債はますます増え、士を養い民を恤《あわれ》む政《まつりごと》を為《な》す基《もとい》がなくなる」〈国をして国たらしめんと欲せば、先《ま》づ理財の道を立つるに非《あら》ざれば手を下すこと能はず〉(『感旧涙余』)と、領民福祉のための財政再建を訴えた。

だが病魔におかされる。それでも政務をとろうとした。看病にも側女をおかず、病床でもうわごとのように安民の政治を語りつつ死んだ。結局、彼の藩政はわずか二年で終わり、この「明君」は歴史の彼方《かなた》に忘却された。

【島津斉彬】（一八〇九〜一八五八）――――――人材――

人材は一癖あるものの中に撰《えら》ぶべしとの論は、今の形勢には至当なり。

島津《しまづ》斉彬《なりあきら》。幕末の薩摩藩主。これほどの巨人もいない。日本全土が太平に眠っていたとき、彼だけは目覚めており、何をなすべきかを知っていた。

理化学に基づいた工業力こそが西洋列強の力の根源であると見破り、アルファベットを学び、電信機を試し、硫酸をつくり、精錬所を設け、地雷を製造。薩摩の地に近代工業国家の模型をつくった。佐賀藩の鍋島直正も水戸藩の徳川斉昭も、彼ほどの世界認識には至っていない。

歴史にとっては、この一人の覚醒《かくせい》が決定的であった。彼のもとには人材が育った。斉彬は人材登用について一家言をもっていた。しかし、惜しいことに、維新を見ることなく急死した。死後、側近の江夏《こうか》十郎などの記憶をもとに『島津斉彬言行録』が編まれた。斉彬の人事思想ははっきりしている。君主は愛憎で人を判断してはならぬ。十人が十人とも好む人物は非常の時勢に対処できぬから登用せぬ。人も馬と同じで一癖ある者でなければ用に立たない。一芸一能のある者を登用する。この方針で斉彬は「非常の人物」を登用した。結果、明治維新の人材が出た。その代表格が西郷隆盛である。西郷もまた斉彬の教えに従い、個性的な人物を政府に次々に登用した。

職場は生活空間でもあるから、たいていは好人物が登用される。だが斉彬はその快適さをあえて切り捨て、癖のある、あつかいにくい男をえらんでことをなした。荒馬を乗りこなす古武士の気概に似ている。西洋の理化学と古武士の気概。それが奇妙に交じりあっているところが、薩摩に生まれた「近代」の面白さである。

【黒沢庄右衛門】（一七九六～一八五九）——処世——

うらやましがられぬ様ニいたす事、身を守るの一助とうけたまわる

幕末にも通貨危機はあった。藩の借金が膨れ上がると藩札が信用を失い通用しなくなる。中津藩（大分県）がそうなったが、この藩では一人の茶坊主がそれを救った。黒沢《くろさわ》庄右衛門《しょうえもん》だ。身分の低い者が大仕事をやるとあとで必ず失脚して殺されるのが江戸の武家社会だがこの男は失脚はしたものの、身は無事だった。

庄右衛門の父は元足軽。必死に努力して下士に昇進した人。父は死に臨み、子の庄右衛門が足軽に戻されるのを懸念。「まだお城からお呼び出しはないのか」とうめき続け

て死んだ。しかし心配は的中。庄右衛門は足軽には戻されなかったが茶坊主にされた。だが、これがよかった。茶坊主は殿様に近づける。庄右衛門は〈長身美貌《びぼう》にして挙止閑雅〉、しかも謡曲がうまい（『大分県人物志』）。殿様の目にとまり可愛がられた。はじめは七、八匹もいる狆《ちん》の世話係。芝居のモノマネがうまかった。一度見た芝居は寸分たがわず再演できたため、一層、寵愛された。そして火事の時、藩主のもとに一番に駆けつけた。この男は正直で頭がいい。そう思った藩主は庄右衛門に命じた。

「おまえを改革棟梁《とうりょう》とする。破綻した藩財政をなんとかしろ」。庄右衛門は動いた。当座は商人から借金をした。銭箱を山の如く中津に陸揚げし、領民に藩の支払い能力をみせつけた。それから殿様の生活費と藩士の給与を大幅にカット。その金でセーフティーネットを張った。撫育会所《ぶいくかいしょ》という福祉センターで債務者を五等級に仕分け、生活再建の相談にのった。この改革は成功。中津藩は立ち直りはじめた。しかし庄右衛門の禄《ろく》は籾《もみ》一九石三人扶持《ぶち》のまま。そうしないと恨まれると知っていた。晩年、彼は『午睡録』（安部伴校訂・非売品）という回想録を書いた。そこに彼が生き残れた秘密、冒頭の言葉が記されている。

【佐藤一斎】（一七七二〜一八五九）――――教化――

学を為《な》すには、人の之《こ》れを強《し》うるを俟《ま》たず。必ずや心に感興する所有《あ》って之を為す。

佐藤一斎《さとういっさい》は江戸後期の儒者。江戸の儒者で講義の名手は三人いた。室鳩巣、細井平洲と、この佐藤一斎である。一斎は江戸幕府の昌平坂学問所で教えた。九〇歳近くなった晩年まで講席に臨み、この国の儒者のなかで桁違《けたちが》いに多くの弟子をもった。門弟三千人といわれる。江戸時代最大の教育者であり、西郷隆盛も彼の著『言志録』を座右の書とした。

その彼が冒頭のように教育の秘訣《ひけつ》を語っている（『言志四録』）。俗に「教化する」というが教と化は違う。教は単に知識を教えること。化は心を変化させること。人を教育するには〈化して之《こ》れを教うるは、教入《おしえ》り易きなり〉。まず学生の心を感化し、やる気にさせてから教えると知識が入りやすいという。

本人が学びたくないのに早期教育を強行するのはいけない。「草木の移植には必ず時期がある。肥料をやるにも程度がある。早すぎても遅すぎてもいけない。多すぎてもすくなすぎてもいけない。子弟の教育もまた同じ」。学問は強いてはいけない。自分から感動して勉強したいと思わせるのが大切だという。それで彼は講義のまえに、こういって俊才たちをはげましたという。「私はいつも神童を見かけますが〈老いて学問に達した〉神翁は見たことがない。みなさん頑張ってください」

だが、人をやる気にさせるのは難しい。どうすればよいか。〈我《わ》れ自ら感じて、而《しか》る後《のち》に人之《こ》れに感ず〉。自分が感動してはじめて他人を感動させることができる。何よりもまず教える側の先生のほうが学問に感動していなければならない。親や先生が面白くないものを、子供が面白がるはずはないということだろう。

【緒方洪庵】（一八一〇〜一八六三）——毅然——

事に臨んで賤丈夫《せんじょうふ》となるなかれ。

幕末の西洋医学者・緒方洪庵《おがたこうあん》のことを思い出した。洪庵が立ち向かったのは劇症のコレラであった。当時、コレラの罹患死亡率は三割以上。かかると数日でころりと死んでしまうので、人々はこの病を「コロリ」とよんで恐れた。このコレラの治療にあたる医師は、戦場で弾雨のなかに立つより危険であった。

一八五八（安政五）年夏、このコロリが日本で大流行。洪庵と仲間の医師はこの病に命がけで立ち向かった。当時の医学はコレラに無力。抗生物質がない。点滴もない。脱水症状をおこすコレラ患者への対症療法も十分には確立されていなかった。幕末の医者は武器なく、キニーネという現代医学では効かないことがわかっている薬でこの恐怖の病と闘うことをしいられていた。だから、洪庵は決死の覚悟で治療にあたった。疲労のなかコレラ治療法を西洋医学書にさぐり『虎狼痢治準《コロウリちじゅん》』として自費出版。無料で医師仲間に配布した。しかしこの本で紹介された世界レベルの医学知識も効果的な治療法ではなかった。

そのなかで洪庵の仲間たちも死んだ。死にながら治療した。洪庵の手紙は悲しい。「篠崎長平、奥野弥太郎流行病にて斃《たお》れ（中略）そのほか懇意知己の医俗死亡いたし候もの少なからず」「安藤桂洲《けいしゅう》コレラの為《た》メ討死。悼むべき惜しむべき事に御座候」。冒頭は洪庵が卒業する門下生に贈った言葉（梅渓昇《うめたにのぼる》『緒方洪庵と適塾』）。「いざというとき、いやしい男になるな」洪庵は毅然《きぜん》としてそういった。

【日柳燕石】（一八一七〜一八六八）

嗚呼《ああ》、大地はもと是《こ》れ一毬《まり》たるのみ。区別あに封境を限るべけんや。我は願う。五洲《ごしゅう》を混ぜて一と為《な》さんことを。

冒頭のような国境のない、博《ひろ》い思想が、為政者でも学者でも宗教家でもなく、市井の博徒の口から発せられた。このことに私は感動する。この国の江戸という時代は民間の教養を恐るべき高みにまで押し上げた時代で、わたくしたちはその遺産で生きている。日柳燕石《くさなぎえんせき》は幕末の人。いまの香川県の金比羅さんの門前にいた博徒。富豪に生まれ、きっぷがよく、財を散じて子分を養った。けんかがあると一人で乗り込み「おれの体には筋金が通っている。見事殺せるものなら殺してみろ」と啖呵《たんか》を切った（田村栄太郎

『日柳燕石』)。その胆力で大親分に。しかしこの親分は賭場でばくちを打たず酒杯を友に常に読書をした。とくに詩才は卓絶。天才的な詩が口からほとばしり出た。

それだけではない。世界地図を眺め地球の単位で物を考えた(「観五大洲図」)。ペリー来航後、日本中が慌てたが彼は冷静。書物で米国を研究し「米国は教育国だ。あの国には盲人の凸字書(点字)がある」といった。「ナポレオンはロシアの雪に敗北した。しかし日本に神風が吹くと考えるのはお笑い草だ」とも。この国に幕府は要らぬ。軍艦と大砲が要る。軍艦で世界と貿易して国力をたくわえ中国と同盟して西洋と対峙《たいじ》せねばならぬ。彼はそう考え、長州の高杉晋作を命がけでかくまい、獄に四年つながれた。牢《ろう》から救出されたときには皮膚は瘡蓋《かさぶた》で真っ赤。すっかり衰弱。それでも戊辰戦争には勇んで従軍。戦場で病没した。最期、敵軍から奪取した戦利品の梨を刀でずぶりと突き刺して食い「愉快」と叫んで逝ったという。賭場で酒を舐《な》めながら世界を洞察した巨人であるといっていい。

【橘　曙覧】（一八一二〜一八六八）――正直――

うそいふな。ものほしがるな。からだだわるな。

幸せとは何か。この人はそれを知るため、自分で自分を人体実験にかけていたとしか思えない。

橘《たちばな》　曙覧《あけみ》は幕末の福井の人。歌人。正岡子規は、彼を〈貫之《つらゆき》以下今日に至る幾百の歌人を圧倒し尽《つく》せり〉〈歌人として実朝以後ただ一人《いちにん》なり〉と絶賛した。万葉以後、千年以上そらごとの花鳥風月の歌がはびこったが、彼が出て、暮らしのなかからほとばしる自然な言葉を歌としはじめた。子規のいうように、千年に一人の歌よみだろう。今日彼の『橘曙覧全集』は希少で県によっては県立図書館にもない。

冒頭は彼が子に与えた遺言。「だわるな」は福井の方言で「だらけるな」という意味である。彼は豪商の生まれだが弟に譲り、あばら屋に棲《す》み、極貧のうちに暮らした。殿様の松平春嶽が招いても仕えなかった。とうとう殿様自らあばら屋を訪れたがその暮らしぶりをみて驚愕《きょうがく》した。「壁は落ちかかり障子は破れ畳は切れ虱《しらみ》が這《は》」っていた。事実、彼は虱を友としていた。人間無欲を突きつめると虱と自分の境界も薄くなる。〈綿いりの縫目《ぬいめ》に頭《かしら》、さしいれて、ちぢむ虱よ、わがおもふどち〉と詠んだ。「どち」とは友である。自分の着物の縫い目縫い目に虱が子を産みつけるのをみて〈しらみの神世始まりにけり〉と詠んだ。「虱の神話時代が始まった」とは、観《み》ている世界が大きい。

　彼は自分に正直に暮らした。「ものほしがるな」といったが、物をもらうと正直に喜んだ。うそをつかぬのは人のためでなく自分のため。素直に生きれば心安らかになれる。物に乏しい時、願いがかなわぬ時、ふと与えられると、うれしい。彼はそのささやかな幸福感を味わうことにつとめた。こうも詠んでいる。〈たのしみは朝おきいでて昨日まで無かりし花の咲ける見る時〉

【横井小楠】（一八〇九～一八六九）——————学問——

学問を致すに、知ると合点との異なる処《ところ》、ござ候

横井《よこい》小楠《しょうなん》は幕末維新期の熊本藩士。坂本龍馬は偉く見えるが、その思想はこの横井小楠と勝海舟の受け売り。当時、横井ほどの見識人はいなかった。幕府の臣であった勝海舟は〈おれは、今までに天下で恐ろしいものを二人見た。それは、横井小楠と西郷南洲（隆盛）とだ〉といい〈横井の思想を、西郷の手で行はれたら、もはやそれまで〉幕府は滅亡と見ていたが、果たしてその通りになった（『氷川清話』）。明治維新は坂本龍馬の考えを西郷が実行したのではない。むしろ水戸藩士の藤田東湖とこの横井の思想が基本にある。それほど横井の見識はすごい。

なぜ彼はこのような見識に到達できたのか。もちろん情報収集が第一だが、読書法に特徴があった。横井はただ知るのと合点するのは違うという。本は字引にすぎない。読後にその知識を一度なげうち〈専己《もっぱら》に思ふべく候〉といった。知識獲得でなく、自分が思考する入り口になるような読書をせよ、と説いている。

今日、彼があまり有名でないのはその思想があまりに開明的で「あの男がいると日本がキリスト教に侵される」と誤解され、早々に暗殺されたから。また思想は偉大でも実際の行動が今一つで、龍馬のような痛快な伝記小説がないせいもある。

なにしろ横井は日本中の武士が刀を振りまわして「攘夷《じょうい》」を叫んでいた時に〈紅海の海峡を掘りぬき海路とする等のこと誠に莫大《ばくだい》の利なり〉（『沼山対話』）とスエズ運河の経済効果を説いていた。この話を聞き取った青年がのちに明治憲法、教育勅語、軍人勅諭の起草に携わる。井上毅だ。わたくしたちは龍馬ブームに惑わされて本筋の歴史理解を忘れてはならない、と思う。

【本間玄調】（一八〇四～一八七二）

治療に臨んでは、一地球を一大国と定める

地元の医学部は大切だ。かつて茨城には日本最高の外科医療が存在した。水戸藩に医学館があり、その教授に一人の天才外科医がいたからだ。

本間《ほんま》玄調《げんちょう》。まさに神の手。麻酔を開発した華岡青洲が足指切断しかできなかった時代、本間は麻酔と優れた血管結紮《けっさつ》技術で、ひざ下の切断手術までやった（大貫勢津子『水戸藩の医学』）。しかし明治初年、本間のいた水戸藩医学館は財政難で廃止。茨城の医療は落ちた。戦後、筑波大に医学部ができたが、いまだに医師不足。二〇〇九（平成二一）年には、国の指標で全国最低となった。

本間玄調

本間は茨城の小さな村に生まれた。それでも彼が医学の頂点に達したのはたった一つの理由による。「治療に臨んでは地球を一つの大国だと思い、薬品、治療法、医学論まで、地球上で一番良いと思われるものを選び、日に試み、月に験《ため》す」(『内科秘録』)ことを心掛けたからだ。彼は麻酔手術を独自開発した華岡青洲に入門。わずか五〇日で麻酔処方を〈極秘につかまつり候へどもひそかに手に入れ〉て帰った(『水戸の洋学』)。さらに、当時、日本最高の基礎医学知識を持つ長崎のシーボルトに学んだ。医学に限らず、科学者は日常に安住せず、地球上で最良のものを入手し発展させる強い意志が重要だ。

本間は「人を救いたい」という気持ちが強かった。死体解剖が残忍だという批判には「体内が分からずに治療して患者を殺すほうが残忍だ」と言い返した。子息には「医は術たり。ただ、これ一に仁のみ」と教えた。治療と手術で多くの人命を救い、藩主から「救」の名をおくられた。だから彼の書いた手紙には「救」と署名がしてある。

【安井息軒】（一七九九〜一八七六）——役人——

役人は員《かず》少なきを善《よし》とす。

安井息軒《やすいそっけん》は宮崎の飫肥《おび》の人。幕末明治の儒者で〈日本一の不男〉といわれた。というのも幼時に天然痘にかかり、片方の目がつぶれ満面にアバタがあった。鼻も極端に低くハゲており、身の丈も五尺（約一五〇センチ）の小男であった。そのため、畑を打ちながら読書すると「猿が本を読む」と嘲《あざ》けられた。ただ気は優しく、よく近所の子を抱き上げた。学問を好み、大坂に出て三年間、ほぼ大豆の煮豆だけ食べ〈書巻を抱いて一室に斃死《へいし》〉する覚悟で苦学し、天下に知られる儒者となった。

しかし嫁がこない。息軒の母は心配し、自分の実家に縁談を持ち込んだ。実家には姪が二人いた。姉のほうは器量が〈十人並《なみ》以下〉、妹はすごい美人であった。姉に縁談をむけると「いくら私が不器量でも、あんな不男は嫌」とすねて破談になった。ところが美しい妹が「わたしを」と小耳を赤くして申し出たから周囲は驚いた。息軒はこの気立ての良い妻と慎《つつ》ましく暮らしていたという（若山甲蔵『安井息軒先生』）。

江戸後期、政治は変化しつつあった。息軒は「今日の政治は年貢を集める、訴訟を聴く、盗賊を捕らえるの三つだけ。『治教』がない」といった。治教とは村々に役人を巡回させ、耕作に励め、赤子間引きはいけないなどと教諭し、育児手当等を支給するきめ細かな政治だ。この政治を役人を増やさずに実施せよ。役人は「少なければ人材が選びやすく費えも少ない」「多ければ不肖の人が混入し費えが多く弊害が多い」といった。役人は少数精鋭がいい。「俸は厚く罰は重くせよ。費えを省くは、事を省くにしかず、事を省くは吏《り》（役人）を省くにしかずという。国費節約の根本と知るべきだ」とも。さて、この国は「吏を省く」に手をつけるのだろうか。

【西郷隆盛】（一八二八〜一八七七）——卑怯——

聖賢たらんと欲する志なく、古今の事跡を見てとても企て及ぶべからずと思わば、戦《たたかい》に臨みて逃るるより、なお卑怯《ひきょう》なり。

鳥羽伏見の戦いの直前、世論の大勢は徳川の旧幕府と穏やかに妥協しようとしていた。だが西郷隆盛《さいごうたかもり》は旧体制を破壊し尽くし、更地にして新しい政府を築く道を選んだ。金剛石より強固な意志がなければこんなことはできない。政治意志を貫く強さにおいてこれ以上の男は日本史上にいないといっていい。その「強さ」はどこからくるのか。

西郷が「命もいらず名もいらず官位も金もいらぬ人は始末に困る」、しかし「この始末に困る人ならでは艱難《かんなん》を共にして国家の大業は成し得られぬ」といったことはよく知られている。西郷は命にも金や地位にも無頓着であった。西郷が欲したのはもっと途方もないものであった。本気で聖人賢者になろうとしたのである。

倫理道徳や偉人の業績をきいて、自分にはとても無理だ、という人間に、西郷は一喝した。それは戦いに臨んで逃げるよりなお卑怯だといった。そういえば、孔子の論語にも同様の話がある。孔子は「先生の道徳をよろこばないわけではありませんが私には無理です」といった男に「いま、なんじは画《かぎ》れり」。いま、おまえは自分を見限った、と言い放った。

人間は「自分には無理」と思った瞬間に自分で自分を檻《おり》に閉じ込めてしまう。それはたしかだ。西郷は強い男というよりも、自分で自分の限界をつくらない男であったといったほうがよい。あれほど繊細な心をもった男が折れずに大仕事ができたのはきっとそのせいであろう。自分で自分の限界をつくってはいけない。

【山岡鉄舟】（一八三六〜一八八八）——借金——

困難も人の所為《せい》だと思ふとたまらぬが。自分の修養だと思へば自然楽地のあるものだ

人生は冗談のようでもあり冗談のようでもない。その微妙なあいだにある真摯な冗談として存在しているのかもしれない。山岡鉄舟《やまおかてっしゅう》の生涯をみるとどうしても、そう思える。

一一歳の時、鉄舟（鉄太郎）は飛騨高山宗猷寺《そうゆうじ》の大鐘を眺めていた。和尚がいった。「鉄さん、その鐘が欲しけりゃあげましょう。持って行きなさい」。鉄舟は「ありがとう」と一礼。帰って父に「宗猷寺の大鐘をもらいました」と告げた。父は「では取って

来なさい」と笑った。鉄舟は小躍り。若い衆を連れて寺に行き、大鐘を降ろしはじめた。和尚は驚愕。前言は冗談といってわびたが、鉄舟少年はきかない。父がよばれて説得し、ようやく落着した。

鉄舟は少年期に父母を失った。末弟はわずか二歳。この弟のため、もらい乳をして歩いた。衣服は常に破れがちで「ボロ鉄」のあだ名がついた。このあたりから達観した。終生、無欲。剣術と禅のみ。行者のごとく金銭に頓着がない。ために江戸無血開城を成功させ、明治天皇の侍従。子爵になっても家計は火の車。しかし本人は平然。「馬車ならで、わが乗るものは、火の車、かけとる鬼の、絶ゆる間もなし」などとのんきな狂歌を作った。この貧乏は人に「遣る。盗られる。義理張る」でこしらえた借金。冒頭の言葉は、義弟に二六万円の債務を背負わされ、月給三五〇円中二五〇円を十何年も差し押さえられた時にいったもの（『鉄舟居士の真面目』）。

幕府崩壊時、彼は安倍川餅一〇八個、ゆで卵九七個を食べてみた。胃がんで死ぬ時「御医者さん、胃癌胃癌と申せども、いかん中にも、よいところもあり」とうれしそうに医者に詠んでみせたという。

【浜田彦蔵】（一八三七〜一八九七）――――文明――

其《その》流派に辟《へき》する人に於《おい》てハ、無智《むち》無学の人よりも、国の為《ため》に大害を生することしるへし。

浜田《はまだ》彦蔵《ひこぞう》は播磨国（兵庫県）に生まれた。父は〈百姓にて船乗《ふなのり》〉。彦蔵も船を好んだが、母は危ないと船旅を許さなかった。しかし一三歳の時、母が病死。失意のうちに船に乗ったら船が難破。アメリカ船に救助され、彼の地で教育を受け、リンカーンまで三代の大統領に会う。

漂流民といえばジョン万次郎が有名だが、彦蔵は生年も渡米時期もちょうど万次郎の一〇年後。日本人にアメリカの実態を広く知らしめたのはこの彦蔵だ。アメリカ市民権を得て帰国した彦蔵は万次郎と違いかなり自由に活動。一八六三（文久三）年、精密な絵入りの『漂流記』上下二巻を出版。これで幕末の日本人はアメリカの大統領選挙のしくみからチェスの駒の動きまでを知った。〈国人入札を為《な》して、国主を選む。是《これ》も又《また》四ケ年を期限として、其《その》国事を裁断す。其下役ハ国守の目鏡を以《もっ》て人を選ミ〉〈五万人の人別より、一人ツ、選て人民の惣代となし〉と大統領制と連邦議会を解説。世襲でない政治形態を知らしめた。彦蔵は世界をみて〈法教国政の大切なること〉国の制度と教育の重要性に気づき、それを母国に伝えたのである。彦蔵や万次郎の姿をみるとき、この時代の日本庶民の賢さを感じる。

はじめ彦蔵は文明国アメリカに心酔したが南北戦争のすさまじい殺戮《さつりく》に衝撃をうけた。なぜこうなるのか。〈学流の相違、宗門の論より、万国にて国乱を起すこと古《いにしえ》より少なからす〉といい冒頭のように述べた。本来、人を幸せにするはずの政治や宗教への過剰なこだわりが戦争の原因になっている。彼はそれに気づいた。兵器の発達した文明社会で人の頭が野蛮なままでは結果は悲惨。彦蔵の悲しみはまだ終わらない。

【栗本鋤雲】（一八二二〜一八九七）

衛生は猶《な》ほ火の用心を為《な》すが如く。

栗本鋤雲《くりもとじょうん》は幕末の人。幕臣であった。島崎藤村は晩年、幼時を回顧して〈私は自分の心も柔く物にも感じ易い年頃に、栗本先生のやうな人を知ったことを幸福に思ひます〉と書いた。なぜか。栗本が旧幕臣のなかで、いや維新期の日本人のなかで、誰よりもまっとうな人であったからである。

栗本は禄《ろく》三五〇俵の幕府医官喜多村槐園《かいえん》の末子。母は「鬼平《おにへい》」こと長谷川平蔵のめい。幼少から科学的合理主義者。ボウフラを飼い、蚊になると〈腕に止まらせて血を吸わせ〉観察した（小野寺龍太『栗本鋤雲』）。体は巨大で容貌魁偉《ようぼうかいい》。頭脳は傑出〈お怪《ば》け喜多村〉とよばれた。将軍の漢方医・栗本家の養子になったがその世界は保守的。蒸気船に試乗しただけで上司の怒りにふれ、なんと蝦夷地《えぞち》の箱館に追われた。だが、それがよかった。彼は世界に開かれた箱館で大活躍。病院建設、育種、養蚕紡績の事業を立ち上げ、近代殖産興業のモデル地区を作ってしまった。これが認められ、幕府の軍艦奉行や外国奉行に。フランス語を習得し、徳川幕府の近代化政策を進めた。彼の〈考案に出たものは施設みな時宜《じぎ》に適さないものはなく、新日本建設の土台〉（島崎藤村）となった。その後の日本にどれほど役にたったか知れない。

しかし、フランス派遣中に幕府は滅亡。決然と野に下り、勝海舟や榎本武揚のように新政府で栄耀《えいよう》栄華を求めず、隠居所で芍薬《しゃくやく》に水をやって暮らした。だが公衆衛生には発言。衛生は火の用心に同じ。本人の体が丈夫でも感染症はみんなで早期警戒しなければ防げないといった。今日の抗生物質耐性菌の蔓延《まんえん》をどうするか、栗本の意見を聞いてみたい気がする。

【陸奥宗光】（一八四四〜一八九七）

事の失敗に屈すべからず、失敗すれば失敗を償ふ丈《だけ》の工夫を凝《こら》すべし。

陸奥宗光《むつむねみつ》は坂本龍馬が拾い上げた人物である。生家は紀州徳川家重臣八〇〇石という志士としては飛びぬけて高い家柄だが父が失脚。八歳から母と流離。遊歴のなかで龍馬に出会った。龍馬は陸奥の才を見抜き勝海舟の塾に勧誘し、亀山社中、海援隊でその手腕を使った。「海援隊士中、団体の外に独立しても志を達成できるのは、おれと陸奥だけ」というのは龍馬の言葉だ。外国語を解する彼は維新後、新政府の高官になったが、西南戦争の際、土佐士族と通謀。監獄に五年入れられた。だが伊藤博文が陸奥のすごさを知っていた。出獄後、欧米外遊をすすめられ、ほとぼりがさめると、陸奥は再び政府で重用され、外務大臣として条約改正や日清戦争で八面六臂《はちめんろっぴ》の活躍をした。

この苦労人は息子広吉が外交官になった時、六つの訓を与えている。①諸事堪忍すべし、堪忍の出来る丈は必ず堪忍すべし、堪忍の出来ざる事に会すれば、決して堪忍すべからず。②が冒頭の言葉。③名誉は実力で取り得るように。僥倖《ぎょうこう》に求め得られるものではないと知れ。④人より少なく労苦して人より多くの利益を得ようとするのは薄志弱行の者のやることだ。この考えが一度芽生えると、必ず生涯不愉快の境遇に陥る。⑤人生には危険が多い。避けられるだけは避けよ。しかし避けられぬ場合、また避けては一分《いちぶん》が立たぬ場合はいかなる危険も避けるな。⑥眠くなく、旅中、舟や車で、やることがないときは、胸中に何なりとも一つの問題を設けて研究しておけ。他日、その問題が実地入用になるとき大いに役立つはずだ。

また陸奥は息子に〈日本人には「ノー」と云《い》ふことの出来るものが少《すくな》くて困る〉とよく言っていたという（『父陸奥宗光を語る』）。

【坂本 直】（一八四二～一八九八）――――――――――――――――龍馬――

過去のことは忘れてこれから新しい日本の為《ため》にともにやりませう、私はあなたにお目にかゝれてほんとうにうれしい

坂本直《さかもとなお》は坂本龍馬《りょうま》のおい。龍馬の姉千鶴の子である。はじめの名は高松太郎。七歳年上の龍馬に連れられ、勝海舟の塾で海軍術を学び亀山社中、海援隊で活躍した。ところが龍馬暗殺。龍馬は生前、蝦夷《えぞ》地の開発を説いていたから、直は新政府で北海道行政にあたった。しかし役所にあわず免職となった。それでも朝廷は龍馬の子孫断絶を惜しみ、直を龍馬の養子にし、のちには宮内省の舎人として帝のそばで働かせた。しかし直は「耶蘇《やそ》（キリスト）教信奉したるにより」（『土佐偉人伝』）またも免職。これ

と対照的に、海援隊の仲間たちは男爵などに出世していった。坂本家にも「爵位の内示があった」(土居晴夫『坂本家系考』)といわれるが、直は爵位を受けるような安直な男ではなかった。

驚くべきことに直は「龍馬を斬《き》った男」今井信郎《のぶお》に会おうとしたふしさえある。柴田澄雄という人が、今井の住んだ静岡県の村で今井の妻の遺談を伝聞ながらあつめ一九八一(昭和五六)年、『月刊浜名湖 遠州・三河』二七号に収録。それによれば〈明治十一、二年頃《ころ》かと思うが当時大阪にいた坂本龍馬の子供から手紙がきた〉。〈内容は「父親の法要をやるから是非《ぜひ》出席して貰《もら》いたい」〉。今井は〈恐らくこの法要に出席すれば家へは再び戻っては来れない〉。殺されると思ったが〈俺《おれ》も武士だ〉と死ぬ覚悟で家を出た。ところが実際に会ってみると〈その息子が、非常に歓待をして呉《く》れ〉、冒頭のように語った。

言い伝えだから真実はわからない。しかし直がキリスト教で免職になったころ今井も愛児の死をきっかけになぜかキリスト教に入信している。恩讐《おんしゅう》をこえ二人は手を握り合っていたと信じたい。

【勝 海舟】（一八二三～一八九九）

行政改革といふことは、よく気を付けないと弱い者いぢめになるヨ

勝海舟《かつかいしゅう》は「世の中に無神経ほど強いものはない」。庭先の蜻蛉《とんぼ》を指さし「あの蜻蛉をごらん。尻尾を切っても平気で飛んで行くではないか」といった。白刃のなかを切り抜け、幕府の始末をつける大仕事をした彼は、難局にあたる時の無神経の大切さを説いた。「人間は難事に当たつてびくとも動かぬ度胸が無くては、とても大事を負担することは出来ない。今の奴《やつ》らは、ややもすれば、智慧《ちえ》をもつて、一時逃れに難関を切り抜けようとするけれども、智慧には尽きる時があるから、それは到底無益だ」。智慧より度胸だ

と勝はいう(『氷川清話』)。

政治とは何か。〈天下の大勢を達観し、時局の大体を明察して、万事その機先を制するのが政治の本体だ……この大本さへ定まれば、小策などはどうでもよいのサ〉。大胆に先手を打つのが政治。後手にまわって小策を弄《ろう》する平成の今、勝が総理だったらどうするか。そんな空想が頭をよぎる。彼は行革は弱い者いじめになりやすいといった。〈全体、改革といふことは、公平でなくてはいけない。そして大きい者から始めて、小さいものを後にするがよいヨ。言い換へれば、改革者が一番に自分を改革するのサ〉。この言葉からすれば、おそらく勝は、議員→公務員→国民の順で負担を求めるのではないか。地位の高い順に政治家や役人から改革を迫るのが彼の思想だ。

「政治の善悪は、みんな人に在るので、決して法にあるのではない……人物がでなければ、世の中は到底治まらない」と彼はいう。そんな政治家はどこにいるのか。〈人材などは騒がなくつても、眼玉《めだま》一つでどこにでも居るヨ〉。これも勝の言葉である。探すのは我々だ。

【大橋佐平】（一八三六～一九〇一）

植木を移すに必ず時あり。時を失すればその木枯るることあり。これ労して益なし。

越後長岡藩といえば河井《かわい》継之助《つぐのすけ》が有名。しかしこの藩でもっとも物事が見えていたのは河井ではない。大橋佐平《おおはしさへい》であった。大橋は長岡の材木商の子で酒屋。彼が藩士の家に生まれていれば日本史は変わったに違いない。

河井は戊辰戦争のさなか長岡藩を新式銃やガトリング砲（機関銃）で固め武装中立を唱えたが、当時の政局の大勢からすればその主張は無理。一六歳のとき長崎に行き〈蘭学者の世界談〉で内外情勢を理解していた大橋は河井のはじめる戦争中止に奔走。しかし失敗。町は丸焼けになり、大橋は裏切り者とされ一時は命まで狙われた。維新後、地元長岡を文明開化するため、教育・通信・運輸事業に乗り出した。新聞社も作ったが、華々しくはなかった。

ところが大橋は一念発起して五〇歳で上京。出版社「博文館」をはじめた。これが大成功。一〇年そこそこで図書一一四七種を出版、雑誌二九媒体を擁する一大出版帝国となった。明治中期の日本は識字率が上昇。書物に飢えていた。そこに二日に一冊という猛烈な速度で出版物を提供。薄利多売で近代企業を樹立した。

事業の秘訣《ひけつ》をこう語っている。〈事を起こすに順序あり。物を扱うに機会あり〉〈もし機会を失すれば如何《いか》に骨折りするも無駄骨に過ぎず、世に処するもの大に心せよ〉。大橋は五〇代までの苦い経験から、いくら努力しても機会をとらえなければ無駄に終わることを知っていた。だが、チャンスは待っているだけではいけない。〈機会は自ら作るべし、時の来るを待つというは迂遠《うえん》なり。自ら思い立つ時が即《すなわ》ち機なり〉（坪谷善四郎『大橋佐平翁伝』）とも書き加えている。

【正岡子規】（一八六七〜一九〇二）――――試験――

学校で一番になるには学校の事許《ばか》りを勉強すればわけもなし、併《しか》しお気の毒ながら天下の仕事と学校の仕事と同じからず。

正岡子規《まさおかしき》といえば俳句だが、一六、七歳の頃は意外にも「太政大臣」になるのが夢であった。上京して学校に入り、試験でよい成績をとって官途につき、大いに立身出世するつもりであった。これはめずらしいことではない。江戸の身分制がなくなった明治時代、日本中の青年がそう考えていた。それは時代の空気であり、子規もそのなかにいた。

しかし子規は東京の学校に入るやその生き方の空虚さに気づく。東京では当時「試験のずる」とよばれたカンニングが横行、「普通一般の事」になっていた。東京大学予備門に入った子規も一時これに手を染めたがすぐに悔いてやめた。するとたちまち落第。しかし子規には確信が生じた。「哲学ほど高尚なものはない」。そう思うようになり、ついで「文学は末技ではない」。生涯をかけるのは文学だと考えるにいたった。

「一番に居る者は決して馬鹿でも頓馬でもなく必ず取りえのある人に相違ないが、ほかの者よりも賢く、二番の人は三番より優《まさ》っているわけではない」と子規は悟る。『筆まかせ』にこう書いている。「試験の点数あてにならざる也《なり》　従《したがっ》て学校の席順、あてにすべからざる也」。天下でおきる森羅万象の範囲はひろい。一方、試験は教師が指定する針の先ほどの範囲の知識を争うもの。天下で仕事をするには試験以外の勉強をしなければ対処できない。だから「試験を目的に勉強する」のはおかしい、とも。

子規によれば「学校の科目許り知りて外の事を知らぬ」のは本末転倒。人生の時間は限られている。試験目的の勉強などしている場合ではないかもしれない。

【イザベラ・バード】（一八三一～一九〇四）

私はこれほど自分の子供をかわいがる人々を見たことがない……他人の子供にも適度に愛情をもって世話をしてやる。

すごい女性がいたものだ。イザベラ・バード。英国ヨークシャーの牧師の娘。若いころは脊椎《せきつい》の病気でソファに寝たきりであったという（高梨健吉訳、バード『日本奥地紀行』解説）。ところが二三歳から世界旅行を開始した。「健康のため」というのだから面白い。一八七八（明治一一）年、四六歳のとき日本に来た。日本の奥地をみるといい、伊藤鶴吉という〈一八歳〉の男を雇い、馬二頭で北上。なんとアイヌのいる北海道まで探検した。西南戦争の翌年のことだ。日本をみた外国人のなかで彼女ほど徹底して日本の奥地に入り込んだ外国人はいなかった（竹内誠・磯田道史他『外国人が見た近世日本』）。

観察も鋭い。日本人の良い点と悪い点が指摘されている。良い点は冒頭に掲げたように人々の温かさと優しい心根だ。〈世界中で日本ほど、婦人が危険にも不作法な目にもあわず、まったく安全に旅行できる国はない〉。なかでも、子供が生活の中心にすえられ幸せにしている光景に、彼女は瞠目《どうもく》した。

一方で彼女は日本の政府は無駄が多いとみた。日本の役人は〈中国や他の国のように〉腐敗堕落したことはないが〈お金に関する限りどうしてもあてにならない〉〈公共のお金が給料の安い大勢の役人によって食い尽くされている〉。「英国人が一人でする仕事を四人か五人でやっている」と指摘。〈日本の役所はどこでも、非常に大量に余計な書類を書く〉と、その無駄を批判している。日本人は人々はとても気持ちが温かいのだが、どうも効率的な「公」を作るのは下手らしい。それがこの女性のみた日本であった。

【手代木勝任】（一八二六〜一九〇四）——暗殺——

坂本を殺したるは実弟只三郎なり。

手代木勝任《てしろぎかつとう》という人物はあまりその名を知られていないが、幕末史の重要人物である。なにしろ彼は坂本龍馬の暗殺の背後にいた可能性が高い。以前、そのことを書いた（磯田道史『龍馬史』）。彼は会津藩公用人。驚くほどの忠義者で幕末の京都政局を実質的に動かした。坂本龍馬を斬《き》ったとされる会津藩配下の京都見廻組組頭佐々木只三郎の実兄でもある。

死の直前、坂本龍馬斬殺について告白。〈当時坂本は薩長の連合を謀り、又《また》土佐の藩論を覆して討幕に一致せしめたるを以《もっ》て、深く幕府の嫌忌を買ひたり、此《この》時只三郎見廻組頭として在京せしが、某諸侯の命を受け、壮士二人を率ゐ、蛸薬師（通り）なる坂本の隠家《かくれが》を襲ひ之を斬殺したり〉。遺族が出版した『手代木直右衛門伝』にそうある。

龍馬殺害は大政奉還直後の政局がからんでいる。はじめ土佐藩は会津藩と親しかった。ところが突然、土佐藩の後藤象二郎がきて手代木らにこういった。「この際、大政奉還をしてはどうか。貴藩とは懇親の仲。ねがわくば協力して将軍家に言上を」。手代木らは納得できなかった。大政奉還がなされてもあきらめきれず、幕府復権に動いた。〈徳川氏三百年の覇業を一朝にして失墜するは情に於《おい》て忍《しの》ばざる所なれば如何様《いかよう》にもして今一たび挽回《ばんかい》の策を〉と考えた。

ところが土佐は薩摩と結束。一八六七（慶応三）年一一月中旬以降、土佐の後藤象二郎が薩摩の小松帯刀《こまつたてわき》と「大綱領」を発表し、新政府樹立に動くとの情報があった（「丁卯日記」）。手代木らは土佐の藩論を「討幕」に変えたのは龍馬だとみていた。それまでに龍馬を殺さねばならない。手代木の弟佐々木只三郎が龍馬を斬った。手代木は維新後、旧藩主家に給料の半分を二〇年間送り続けた。主家の没落に責任を感じていたからだといわれる。

【長岡護美】（一八四二〜一九〇六）——雷同——

提灯《ちょうちん》や国旗を掲げてお祭り騒ぎはしたけれど、日英同盟の何物たるか位を知らぬやうでは、真の教育はまだ出来て居ない。

大名が嫌で若様が脱走。そんなことが実際にあった。幕末、長岡護美《ながおかもりよし》がそれをやった。熊本藩細川家五四万石の六男。のち分家して長岡姓となる。自分の意思に関係なく満七歳で足利将軍の子孫喜連川藩に婿養子にやられたが、それが気に喰わなかった。数え一七歳で藩主の館から脱走。竹刀や剣道面をたずさえ、武者修行に出た。「足利氏は皇室に不忠の家。継ぎたくない。機会をみて箱館から海外に密航しよう」と考えたのである。しかし大名育ち。一銭も持たず、草履も結べない。そのうえ殿様言葉。すぐに身分がばれ通報されてつかまった。結局、実家の細川家に戻っている。これぐらいの男だから維新の混乱では活躍した。熊本を根本から改革。武士の禄《ろく》を一〇分の一にし、家老と足軽の差別を撤廃した。

三〇歳になって、ようやく、念願の海外留学を果たしている。ロンドンで足かけ八年間法学を学び、帰国後、オランダ公使に。そこで彼は死刑の是非を真剣に議論するオランダの市民社会をみた。長い海外経験から長岡は考えた。日本人の島国根性が心配だ。例えば初等教育。「元寇《げんこう》の時、北条時宗は元の使者を斬《き》った」と教えそれに生徒が快哉《かいさい》を叫んでいる。これはまずい。排外的で感情的な愛国心は国を誤るもとだ。長岡はその兆候をみて〈世界的智識を養成して貰《もら》ひたい〉と懸命に提言した。昭和の戦争に突入する三〇年ほど前のことだ（『長岡雲海公伝』）。

明治の庶民は帝国憲法も日英同盟もその条文内容を知らぬまま、提灯行列で祝った。なんとまわりの雰囲気に乗りやすいことか。長いものに巻かれぬ長岡の目には、その姿が危なっかしくみえたのだろう。冒頭のように語っている。自分で世の物事を吟味して意見をもつ力を養う。長岡は究極の教育目標を言い当てている。

【橋本雅邦】（一八三五〜一九〇八）――――画道――

疑問があるならば、如何《いか》なる事《こと》でも説明を求めなさい。だが求めない方《かた》には全く説明の仕様がない。

明治になって日本画は死に絶えそうになった。それまでの日本画は狩野派が全盛。しかし狩野派は将軍大名の保護がなくなると、衰退。そのとき、日本画を新たな近代絵画としてよみがえらせた一人が、橋本雅邦《はしもとがほう》である。狩野派のしきたりにとらわれず、西洋画にも学んだ彼の代表作は「龍虎図」。動物園に通いつめ、虎を凝視。雅邦の眼光は炯々《けいけい》。モデルの虎のほうが獰猛《どうもう》の気を失うほどの画作をした。

ある日、彼のもとに、若者が必死のまなざしで入門。若者の名は勝田《かつた》蕉琴《しょうきん》といった。

維新で失業した士族の子。雅邦は「あなたが今日の覚悟でこの道に精進するなら必ずこの人々のように大成する」と、昔の名人の名をあげて、この若者を励ました。ただ、雅邦は冒頭の言葉をそえた。学びたいのなら質問して下さい。雅邦は寡黙であったからである。

寡黙には理由があった。雅邦は幼くして父を失い、二カ月後、母も後を追った。一三歳で孤児になったのである。雅邦は、狩野派の訓練所に引き取られ、毎朝未明に起き、凍《い》てつく広間で凍筆を噛《か》んで修業した。塾生の多くは休んだが雅邦少年だけは一度も休まなかった。

だが、食えない。「扇子に百枚一円の割で絵を描」く、極貧生活。しかも妻が発狂。わずか三畳の家に妻を幽閉する檻《おり》があり、五人家族が起居。そのなかで画道を極めた。「三十にして立たず四十にして惑《まど》ふと雖《いえど》も、猶且《なおかつ》、孜々《しし》として撓《たゆ》まざれば遂《つい》には大成の域に達す」。父の生涯でこれを目の当たりにしたと子の橋本秀邦が語っている（『近世名人達人大文豪』「橋本雅邦」から）。学ぶとは自ら求める気魄《きはく》ということであろうか。

【小村寿太郎】（一八五五〜一九一一）——国民——

いや国民にあの意気があってくれたので外交ができた。国民の士気さかんなるものあり国家の前途また洋々たりである。

歴史をふり返ってみると、世論がいつも正しい判断をしていたとは限らない。しばしば誤っている。だから、いつも国民世論に従って国政や外交を行うわけにもいかない面があるのが実に残念である。ナショナリズムがかかわる問題はとくにそうである。

小《こ》村《むら》寿《じゅ》太《た》郎《ろう》のことを思い出した。日露戦争時の外務大臣。戦争末期、国民はロシアに勝ったと思いこみ熱狂の渦に巻き込まれた。だが実際の日本は継戦能力を失い、とても賠償金がとれる立場ではなかった。だが国民はそんなことはわからない。賠償金がとれなかったと交渉役の小村を攻撃しはじめ、一部は暴徒化、内務大臣官邸などを焼き打ちした。小村は家族は焼き殺されるものと覚悟していたらしく、米国での交渉から横浜港に戻り、息子の顔をみるや「生きていたのか」といったという。

ここまで国民にひどい目にあわされた小村だが「焼き打ちには弱ったろう」と新聞記者古島《こじま》一雄に聞かれ、冒頭のように、国民に意気があったので外交ができたと、きっぱり答えた。「えらいやつだと思った」と、後年、古島は涙ながらに語っている。実は焼き打ちのときの扇動ビラを刷ったのはこの古島であった（新名丈夫『政治』）。

小村は苦労人。風采もあがらず鼠《ねずみ》公使といわれた。父のつくった大借金があり、外務省に入っても、高利貸にせめたてられ、俸給家財を差し押さえられていた。知人が気の毒がり、援助を申し出ると「御親切は誠に忝《かたじけ》ないが自分の拵《こしら》えた借金じゃから自分で返済することにしましょう」といった（長田権次郎『明治六十大臣』）。今まさに「政治家の程度」が問われている。

実業家宜《よろ》しく歴史を読むべし

いまの歴史教育は歴史知識を増やすだけで、歴史から何を学ぶか、それがない。単なる暗記物になっていて、古今東西の歴史から人間世界の鉄則をつかみとる方法を子供に教えない。歴史が堕《お》ちている。

山路《やまじ》愛山《あいざん》は明治、大正初期の評論家・歴史家。幕府天文方の家に生まれたが、維新で幕臣の地位を失い、辛酸をなめるなかで歴史変動の本質を必死で考えた。

「実業家も歴史を学べ。事業の専門知識だけでは足りない」と声高にいった最初の人だ。

国民は歴史を読み、銘々の歴史観を持て。そういう〈強い個人のいない所に強い社会はない〉といった。個人が自分の歴史観・世界観をもつには読書が要る。〈自己の小さき脳髄で天下の事理を臆断《おくだん》せんとする〉のはいけない。しかし古今内外の区別をつけ、時と空を通じて、同一の潮流が貫通しつつあるのを認識しない者は良い読書人ではない。〈過去を現在にするは高等なる読書力なり。外国の事を内国に適用するは読書力なり〉。過去から現在を、外国からわが国を知る読書力を持てといった。しかし、どうしたらそんな読書ができるのか。表面上の形式（シンボル）の背後にある本質（エッセンス）を抽出しようとすることだ（『山路愛山集』）。

例えば司馬遷『史記』の「貨殖列伝」。形式上は中国の富豪列伝である。しかしこれをもとに彼らが富を成した理由を考えると、次の六つにつきると愛山はいう。①諸侯と交際し政商になった。②質素倹約を積み重ねた。③世人の嫌悪する人物に才能を発揮させた。④特別貴重な貨物を扱った。⑤衆人のせぬ冒険商売に成功した。⑥専ら堅実な事業をした。

彼は紀元前の中国の話から、時空を超えてあてはまる金持ち誕生の諸法則や本質を見事に読み取っている。

【秋山真之】（一八六八〜一九一八）

人智《じんち》ノ発達ト機械ノ進歩ハ、江戸長崎ノ行軍時間ヲ東京倫敦《ロンドン》ノ行軍時間ト同一ニシタルコトヲ忘ルベカラズ。

秋山真之《あきやまさねゆき》は日露戦争期の海軍作戦参謀。この国は彼の脳髄によってロシア艦隊を沈め、独立を守った。

この男は、時間と進歩の価値をだれよりも理解できた。一九〇三年、秋山は海軍大学校で戦術を教えた。長く国防機密であったその講義録の内容は驚愕《きょうがく》すべきものである。講義冒頭、秋山はこれから教える戦術は将来通用しないと宣言。居並ぶ将校の度肝を抜いた。その発想は常人の域を超絶していた。秋山は〈現時全盛の海軍は無用の古物となつて空軍万能の時節ともなりましよう〉と断言。〈巡洋艦が空中を飛行し戦闘艦が水中を潜航するに至つたと想定〉すれば、〈此《この》時の戦場は平面的にあらずして立体的であります〉。〈其《その》時に当《あた》り吾人が今研究せる所謂《いわゆる》平面戦術が何の用をなしましようか〉と言い放った。この天才児は日露戦争をやる前に、次の太平洋戦争の様相をみてきたように語り、警告した（『秋山真之戦術論集』）。

この講義を二人の優秀生、大角岑生《おおすみみねお》と山梨勝之進《やまなしかつのしん》が聴いていた。のちに大角が海軍大臣。一期下の山梨が次官。山梨のほうが秋山思想を理解していた。空軍全盛に向かう時代、山梨は軍艦縮減の条約締結に奔走。しかし人事権をもつ大角はライバルの山梨らを予備役に編入。秋山思想の有力後継者は絶えた。その結果はいうまでもない。米国に大敗。海軍と日本は「坂の下の泥沼」に墜《お》ちた。

冒頭は秋山が米国留学中、本に落書きした「天剣漫録」三〇カ条の二七条目。〈金ノ経済ヲ知ル人ハ多シ。時ノ経済ヲ知ル人ハ稀《まれ》ナリ〉とも記す。秋山は文明開化を体験した世代。時間の大切さと進歩の怖さが骨身にしみていた。服装などは気にせず、長官東郷平八郎の前に服のボタンをかけ違えたまま現れたという。

【板垣退助】（一八三七～一九一九）──── 世襲 ──

世襲を止《や》むるを難《なん》ずるの色あるを見て怪訝《けげん》に堪《た》えず。

板垣退助《いたがきたいすけ》は土佐出身の政治家。維新のとき天才的な戦術指揮で旧幕府軍を蹴散《けち》らす。その後、自由民権運動を始め、議会政治の確立に命をかけた。

しかし、板垣は日露戦争後の日本をみて変だと感じた。一等国になったと有頂天になり、論功行賞と称して、政府の人間を一〇〇人も貴族にして喜んでいる。板垣がかつて西郷隆盛らと維新を始めたときの政府はそうではなかった。「人間は階級によらない。知識や技能を備えた人間そのものが尊い」と説いていた。ところが、維新政府は変質。身分制度を否定したはずの人々が自らすすんで公侯伯子男の華族（世襲貴族）になり、子孫に特権を享受させる制度を作った。公侯爵になると世襲議員として子孫が永久に貴族院の議席を世襲できる恐るべき制度までできた。板垣も伯爵にされた。

板垣は、こんなことでは日本が駄目になると思った。国家に功績のあった本人だけならともかく子孫まで貴族にするのはおかしい。政治は国民のものだ（『一代華族論』）。板垣は華族八五〇人に質問状を送り、世襲廃止への賛否を問うた。しかし、華族たちは無視した。板垣の正論に答えるわけにはいかず、回答はわずか三七。うち賛成は一二人だけ。板垣は子に伯爵を継がせず、一人で世襲廃止を実行した。当時、板垣の意見はあまりに理想主義的とされたが、そうでなかったことはのちに歴史が証明した。世襲貴族の政治力では昭和の戦争突入をおさえられず敗戦。四〇年たたずに華族は世襲廃止どころか戦争で財産を失って没落。戦犯にされる者まで出て、こんなはずではなかったという話になった。

【森村市左衛門】（一八三九〜一九一九）

自分を鍛《きた》ふ為《た》めに困難が湧いて来るのぢやと思へば、如何《いか》なる困難が来ても少しも辟易《へきえき》することなく、益々《ますます》勇気が加はる。

明治の実業家のなかで、森村市左衛門《もりむらいちざえもん》は異彩をはなつ。彼は、政府との癒着を嫌い、自力で外貨を獲得できる国内産業をおこした。当初こそ陸軍の洋式馬具を製造したが、賄賂の要求などを嫌い、廃業。銀座で洋服裁縫店をはじめ、こつこつためたお金で外国貿易。のちには輸出用陶磁器の製造に成功。ノリタケ、ＴＯＴＯなどの基礎を作った。他の政商たちが政府と結託し、今の数十億円の資金をもらって商売し、蓄財したのとは対照的だ。

なぜ森村は苦難の道を選んだのか。彼の家は元武具商。苦労に鍛えられて「人間の名刀」になりたいと思った。鍛えられなければ鈍刀で捨てられるものが、鉄槌《てっつい》で名刀となるのと同じで、人間も安逸に流れるとなまくら刀で終わるが、困難にぶつかると、鍛えられ名刀になる。「政府と結託して富をなしたもの、投機によって一獲千金的に暴利を得たものは、幾千万の富を集めても砂上の楼閣。狂い咲きの花のようで果実は結ばない」。森村は自分だけが一時儲《もう》ける「一花咲かす」でなく、確固とした国内産業の育成「果実を結ぶ」をめざしたのである（『独立自営』）。

森村は「人間の成功は財産の多い少ないではない。自ら顧みて良心にやましい所がなく正直な努力を誇りにする人になれば、周囲に信用され、心中の平和と愉快とをもって日々を楽しく暮らすことができる」といっている。人生の目的を人格の完成とそれによる心の安定におく人間は強くまた幸せになれる。これもまた歴史のなかの一言である。

【安田善次郎】（一八三八〜一九二一）

運は「ハコブ」なりである。我身《わがみ》で我身を運んで行かなければ、運の神にあうことも運の神に愛せらるることもない。

安田善次郎《やすだぜんじろう》は明治大正の大富豪。富山藩の茶坊主の家に生まれた。藩の上役が豪商には頭を下げるのをみて商売を決心した。維新の混乱に乗じて銀行保険業で大成功。一代で今の数兆円の財を築いた。

安田は運と成功について当時の青年に語っている。〈運という字は『ハコブ』とも読む。運は自分でつかみに行くもの〉。ただ運をつかむには訓練が要る。「訓練なしに運をつかんで肩の上に載せても、身体がこれに堪えられない。せっかく受けた運もろとも倒れ一生起きあがれなくなる」

安田は「目的に向《むか》って順序正しく進む」が口癖。「運が悪いといって貧乏を嘆き、不遇を悲しみ他人の成功を羨《うらや》んでおる人たちは、自分のハコビを全然等閑に付しておったからである」といい、金をねだる人間を軽蔑《けいべつ》した。ある日、男が面会を求めてきた。「自分は命がけできた。労働ホテル建設の寄付をよこせ」という。安田が断ると、男は短刀で安田の顔面を刺し、胸も刺した。八二歳の安田は驚くべき気丈さで庭まで逃れたが男にとどめを刺され絶命した。

安田は女の色香にも惑わされないことで有名。政財界の大物が面白がり「安田と寝たら賞金をやる」と美妓《びぎ》に安田を誘惑させたことがある（『財界人思想全集』）。だが、この誘惑に安田は「眉毛ひとつ動かさず」媚態《びたい》を尽くす美妓に優しくこういった。「おまえはまだ若い。これから第一流にならねばならぬ。いまから沽券《こけん》を下げるようなことがあっては気の毒だ。私もまだ将来がある。お互いに前途ある身体だ。どうだろう。二人とも他日、志を遂げてからにしては」。若い美妓の目からはいつしか涙がこぼれていたという。

【大隈重信】（一八三八～一九二二）――――――――――価値――

人間だってそうだよ、坐《すわ》っている椅子《いす》によっては、そいつの価値がいろいろと変《かわ》ってくるのさ

大隈重信《おおくましげのぶ》は佐賀出身の政治家。明治大正期の首相。早稲田大学の創立者として知られる。爆弾テロで右足を失ったが晩年まで意気軒昂。大風呂敷といわれる大言壮語で来客を楽しませた。

なかでも「人間は一二五歳まで生きられる」が大隈の持論。本当に一二五歳まで生きるつもりでいた。これには彼なりの科学的根拠があった。動物は成長期の五倍が寿命。〈人間は二十五歳で成長しきるのだから、百二十五まで生きてあたり前なんだ〉といっ

た。栄養状態の悪い幕末はいざ知らず、今時、身長が伸びるのは二〇歳までだ。とすると寿命は一〇〇歳前後。一二五歳というのは、やはり大風呂敷かもしれない。大隈自身は本気で一二五歳まで生きるつもりだったが、結局、八三歳で死んで〈自説を証明〉できなかった。

大隈には逸話が多い。あるとき大隈邸の玄関にあった観音像がないのに気付いた訪問者が「どうしたのか」ときくと、大隈は「あっ、あれか。欲しいというものがいたので譲ってやった。大隈のうちの玄関に置いとくと、くだらないものでも立派に見える。キミたちも何か売りたいものがあったら、オレの玄関に置いとくといい。骨董《こっとう》なんてものは、その置き場によって値がつくもんだ」といい、こう付け加えたという。〈人間だってそうだよ、坐っている椅子によっては、そいつの価値がいろいろと変ってくるのさ〉(物集高量《もずめたかかず》『百歳は折り返し点』)

人には、その人が持つ真の価値と、座っている椅子でついた虚の価値がある。椅子でついた虚の価値が本当にその人の真の価値を高めることもあるからさらに複雑だ。人を見るとき、そこのところをよく考えねばならないと思う。

【早川千吉郎】（一八六三〜一九二二）――算盤――

各人は現代に存すると共に、現代に尽力するの義務あり

加賀藩は人口一〇〇万人で最大の大名である。これほどの広域行政をやろうとすれば、膨大な数の、事務吏員を要する。事実、「御算用者」という一五〇人のソロバン侍の部隊があり、行財政業務を処理していた。この御算用者については『武士の家計簿』（新潮新書）に書いたから繰り返さない。維新後、この御算用者の家系から人材が出た。マッチを国産化した清水誠。のちに東京証券取引所の建物となる兜町米商会所を運営した竹中邦香。なかでも最大が、渋沢栄一の思想的後継と目《もく》された早川千吉郎《はやかわせんきちろう》である。

早川の〈父君は前田家の御算用方に勤めておられた。すなわち、代々、藩の財政経済

に関係していた家柄であった〉（『加越能時報』三六八号）。東京帝大卒業後、大蔵省入省。大臣秘書官として松方正義、渡辺国武、井上馨の財政実務を仕切った。藩政時代のソロバン役人の子が明治財政も担ったのは興味深い。のち、早川は財界に転じた。南満州鉄道の社長のとき天才技術者・島安次郎を重用。いまの新幹線のもとになる高速鉄道計画をすすめた。

〈富はこれを善用すれば、文明の開発に、最も有力なるものなり〉。経済は人間が人間らしく暮らすためのものだと言った。〈日本の問題は教育である。教員の人格の改革と、教科書の改善は急（務）である。財政経済唯一の基礎は、道徳である〉とも。しかし彼は働きすぎた。満鉄社長のとき急死。文明生活は幾多の恩人の努力の積み重ね、だから各人は現代に責任があるとこのソロバン侍は言い残している。

【杉浦重剛】（一八五五〜一九二四）

誰それは気にくはん等言ふやうな狭量なことでは仕事は出来るものぢやないよ。

杉浦重剛《すぎうらじゅうごう》は明治大正期の教育者・言論人。幼き日の昭和天皇と良子皇后への倫理御進講はこの杉浦が担った。後で書くが、狩野亨吉《かのうこうきち》が固辞したためである（一六八頁参照）。

杉浦は幕末尊皇攘夷《じょうい》の気風で育った。京都に近い近江膳所藩の生まれ。一番古い記憶は三歳。母に背負われ、勤王志士・頼三樹三郎《らいみきさぶろう》が幕吏に捕らわれ江戸に護送されるのをみた。網打ち駕籠《かご》がいくつも続いて通っていったという。

杉浦にとって倫理の中心は維新でできた日本という国家。御進講の命が下るや、講義方針を〈三種の神器に則《のっと》り皇道を体し〉〈五条の御誓文を以《もっ》て将来の標準と為《な》し〉〈教育勅語の御趣旨の貫徹を期〉すと定め骨身を削って準備。講義ノートが成ると靖国神社に供え、仕損じれば切腹と言われ、講義に臨んだ（『倫理御進講草案』）。

杉浦は、未来の天皇の教育に命をかけた。古風で、島国日本のなかだけで通じる価値を奉じる素朴な志士のような男であった。素直な御性格の昭和天皇は六〇歳の杉浦の教えを不動の姿勢で学んだが、その気迫に圧倒されたらしい。杉浦にだけはなつかず、遠慮されていたという。

七年間の講義がおわり、「一番御心に残った講義は」と杉浦にきかれた幼い昭和天皇は「日月私照なしである」と即答したという。杉浦は天皇の心得として〈王者の心事は、天の万物を覆ふが如《ごと》く、地の万物を戴《たい》するが如く、又《また》日月の万物を照《てら》すが如く、公明正大にして些《わずか》の私を挟むべからず、日や月のように、公平にみんなを照らせ、と教えていた。冒頭は『杉浦重剛座談録』にある言葉。杉浦は、帝王以外にも公平無私、寛容であれと説いた。

【津田梅子】（一八六四〜一九二九）

凡《すべ》ての事《こと》皆智識《ちしき》が本にて成り立つものなり。智育完《まった》からざれば世界の文明に後《おく》る。世界の文明に後るる国は遂《つい》に亡《ほろ》びむ。

津田梅子《つだうめこ》は七歳で渡米。帰国後、英語を教え、女子専門教育の先駆となった。津田塾の創始者である。

明治人を突き動かしたのは世界の文明知識に遅れることへの健康なあせりだった。教室に大人数を押し込め、なんとか国民を教育。しかし、日本女性として初めて欧米の教育力を体感してきた梅子は日本の多人数教育主義を危惧。〈今の中学校の様に四十人も五十人も一緒に教へたのでは如何《どう》して充分《じゅうぶん》な教授が出来ませう、マア精々十五人〉と警告した。明治四三（一九一〇）年のことだ（『津田梅子文書』）。
いまや日本は景気が回復しても賃金は上がらず、むしろ下がる。景気対策を求めるよ

り、それはなぜかを考えたほうがいい。大きな要因は中国にいくらも安い労働力がある

からだ。もはや日中の間仕切りはとれた。これまでは日本人というだけで中国人の一〇

倍の賃金がもらえた。これからはそうはいかない。賃金をきめるのは日本か中国かの住

所ではなく、個々人の労働力の価値が高いか低いかになる。本当に厳しい時代だ。労働

力の質を高めるには教育しかない。よそで作れない財やサービスを生む頭脳教育しかな

い。政府も国民も観念して教育と技術革新になけなしの金をつぎ込み、新展開を阻害す

る旧制度を改めて、前に進むしかなかろう。

現代は高度な知的経済の時代である。発想、研究開発、情報知識が富の源泉となる。

おそらく西洋に追いつけ時代の四、五〇人の一斉詰め込み教育だけでは通用すまい。す

でにやっている国もあるが、小学校を少人数化、個人指導型のじっくり考えさせる文

化・科学教育をはじめなければ手遅れになるかもしれぬ。一〇〇年前の梅子の警告がど

うにも気にかかる。

【秋山好古】（一八五九〜一九三〇）――――中流――

ローマの滅びたるは中堅なくして貧富の懸隔甚《はなはだ》しかりしが故なり。露帝国も然《しか》り。

秋山好古《あきやまよしふる》は愛媛松山の人。明治、大正期の軍人。騎兵と機関銃を結合した用兵を考案し、日露戦争でロシア軍の猛攻を防いだ。のち陸軍大将。弟・秋山真之《さねゆき》とともに司馬遼太郎の作品に描かれた。秋山兄弟は変わり者で逸話が多い。それを水野広徳という天才的筆力をもった同郷の後輩軍人が生き生きと書き残した。水野の残した良材でもって司馬遼太郎が建てた名建築が『坂の上の雲』であるといっていい。

好古は古武士のようにみえて天真爛漫《らんまん》。事実、大将になっても「家などは建てない。

借家で沢山《たくさん》だ」と風雨のもれるボロ家に住んだ。鞄《かばん》に鍵はかけない。〈数百円（現在の数百万円）の札束をむき出しのまゝ〉入れておき、副官に「金は鞄の中にあるから勝手に出せ」といった。年金を役所で受け取ると家に帰り着くまでに全部、人にやってしまうので、副官が妻に直接届けた。知人に「これを着なさい」と言われれば「うむ」といってそれを着るだけ。〈放つてをけば寝衣のまゝ、何所《どこ》へでも行くといふ無頓着さ〉（水野広徳、松下芳男執筆『秋山好古』）

好古は晩年、郷里の中学校長になった。陸軍大将までやった人が中学校長になるのは異例でみな驚いた。だが、彼には考えがあった。日本の強みは格差が少なく「中堅」がしっかりしているから。〈中等階級なくては国は亡《ほろ》ぶこと、歴史の示す処〉でありローマもロシアもこれで亡んだ。〈中学教育は国の中堅人物を養成するもの〉であり自分はこれに従事する。冒頭は好古が保護者に語った校長訓辞《くんじ》の一節。一億総中流の崩壊、格差社会の到来が叫ばれる今の日本をみて彼は何というだろうか。

【北村兼子】（一九〇三～一九三一）

婦人の力強くなるのは男性の幸であり、児《こ》どもの福である。

東大の図書館で不思議な本をみつけた。『大空に飛ぶ』。一九三一（昭和六）年刊。昭和日本の運命を恐ろしいほどに予言。これからは航空機の時代だ。〈米国が二千の飛行機を飛ばしてくるのに日本は肉弾で行く〉戦いをやるだろう。きっと〈一村一郡一国一州の生類を瞬間に根絶せしめるだけの大仕掛けな発明〉がなされる。第一次大戦の〈百倍の死者を出す〉戦いになる。〈日本はアメリカの軍艦を恐れるよりも資本を基とする金融侵略に戒心〉すべきだが、そのアメリカも〈金のために病〉んで衰兆をみせる、などと予言していた。予言のぬしは法学・国際情勢に通じ、昭和初年に飛行機の操縦までできた人物。しかもうら若い女性。この本を残して二七歳で逝った。

その人は北村兼子《きたむらかねこ》という。家は代々漢学者だが開明的。ドイツ法を学び女性初の高等官をめざす彼女の夢を応援した。だがその夢はすべて砕かれた。関西大学に入学したが女子は聴講生のみ。全単位取っても学士号をくれない。高等文官試験も女性という理由で門前払い（大谷渡『北村兼子』）。結局、大阪朝日新聞の社会部記者となる。そこで歓楽街の女に変装して潜入取材。また高度な法律知識から優れた記事を連発した。だが低俗雑誌が美人である彼女の貞操問題を書きたて退職に追い込まれた。女性平和運動で世界的に活躍。「女性運動が男子の権益を奪うというのは誤解。社会は男女両性の肩で担がれる。一方が弱いのは他方の苦しみ」と説き、冒頭のように述べた。自分で飛行機を操縦。欧州へ飛び立とうとした矢先、盲腸手術。術後の腹膜炎であっけなく死んだ。わずか二七年の生涯でこれほど物事に挑んだ日本女性を私は他に知らない。

【堺 利彦】（一八七一～一九三三）――――文章――

心の真実を率直に大胆に表すことを勉《つと》めさえすれば文章は必ず速やかに上達する。

堺利彦《さかいとしひこ》は福岡県の士族に生まれた。明治維新で父が家禄《かろく》を失い公債証書七〇〇円の〈五十円足らずの利子〉今の一五〇万円ほどの年収で暮らした。成績は優秀で第一高等中学（現・東京大学教養学部）に入学。そのまま行けば知事や次官になったはずだったが〈宇宙の絶大、人間の微小〉を感じ、放蕩《ほうとう》をはじめ月謝不納で除名となる（自伝『堺利彦伝』）。その後、小学校教員を経て新聞記者に。しかし、初期の社会主義運動を始めたため弾圧され、入出獄を繰り返した。ただ堺の文章力のすごさは有名。筆一本で生き延びた。

一九一五（大正四）年、名著『文章速達法』を書き、文章の上達の秘訣《ひけつ》を述べている。〈素人の作文者はまず決して玄人に怯《お》じてはならぬ〉。職業小説家や記者は文章の商売人。その文章は綺麗《きれい》にみえても長年文章を売るうちに人の心をうつ力を喪失している。〈玄人の整頓した文章よりも、正直な素人の疵《きず》の多い文章の方が、はるかに味もあり、力もあり、光もある〉といった。作文の第一要件は〈真実を語ること〉。感じたこと知ったことを率直に書け、それがないときは〈文章を書くべきでない〉といった。

書く前に〈腹案〉を立てるのがコツ。書く内容をどの順序で書くか事前に整理してから書く。そして重要なのが〈気乗り〉だ。「よく寝る。散歩する。旅行する。場合相応の本を読む。外《ほか》の仕事を片付ける」などして〈自分の頭の機嫌を取って〉調子のよい時に筆をとる。具体的に読み手を想像しその人に語りかけるように書くといい。文章は無駄を嫌う。事柄、理屈、言葉、句法の四つの無駄を省く。これが達意の文を書く要点であるという。

【朴 敬元】（一八九七〜一九三三）――女傑――

何物も欲しくない、たゞ自分の足跡を残したい一心だけだ。

二〇一〇（平成二二）年七月になって、日航グループに日本初の旅客機の女性機長が誕生した。朴敬元《パクギョンウォン》が生きていたらさぞ喜んだろう。彼女は朝鮮人初の女性飛行家。昭和初期に日本で活躍。近年、韓国でその生涯が映画「青燕《あおつばめ》」にもなり名を知られるようになったがまだ伝記は一冊しかない。加納実紀代氏の労作『越えられなかった海峡』があるだけだ。〈父親は箪笥《たんす》などの家具職人〉といわれ裕福ではなかった。だが猛烈に努力。看護師を経て養成に約二千円はかかるとされた飛行士となった。彼女の生涯に興味をひかれ、国会図書館のマイクロフィルム室に『朴敬元嬢追悼録』を見にいった。

彼女の時代、女性飛行士に就職は皆無だった。実際、飛行機もまだ危険な乗り物であり、「長くやっていると結局は死ぬ」（女性二等飛行士・西原小まつ）ものだった。周囲も反対する。たいていの女性は三年続かず機を降りた。しかし敬元は手持ちの写真機を売るなどしてお金を作り、ガソリンを買い乗り続けた。一六八センチの長身。〈Yシャツに縞《しま》ズボン、汚れた靴〉で歩き〈如何《いか》なる場合でも決して臆《おく》せず平然〉とし〈女を捨てた一科学者〉とよばれた。すべてが必死の、前のめりの人生だった。

一九三三（昭和八）年、彼女はついに日本・朝鮮・満州を結ぶ「親善飛行」を決行。東京飛行場を埋める大観衆に見送られ故郷・大邱へ向け華々しく離陸した。だが、これが悪かった。その日、伊豆半島は密雲に覆われ悪天候。引き返すべきだった。しかし大声援に見送られた彼女は雲の突破を試みた。視界を失い、熱海近くの山脈に激突。翌朝、遺体発見。操縦桿は握ったまま。その〈横顔は、白蠟《はくろう》のやうに凝《こご》って、神々しいまでに美しく見えた〉という。飛行場には離陸前、〈彼女が嬉《うれ》しさの余り食べきれなかったライスカレーが残されてゐた〉。

【馬越恭平】（一八四四〜一九三三）

心配すべし。心痛すべからず。

心配するな、とよくいうが、心配せねば危険の察知も事前の配慮もできぬ。心配はうまく使えば安全の母であり成功の友だ。ただ心配しすぎてはいかぬ。このことをずばりといった男がいる。

馬越恭平《まごしきょうへい》。日本のビール王。数え一三歳で大坂に出て学問するが師匠の後藤松陰は腐った儒者。金持ちの子を優遇し恭平のような貧乏人には冷淡。豪商鴻池《こうのいけ》新十郎家の丁稚《でっち》となる。その働きぶりに公事宿《くじやど》を営む大叔父が感心。養子とした。公事宿は現在の弁護士業務を兼ねた旅館だ（『馬越恭平翁伝』）。

ところが維新直後の一八七〇(明治三)年、のちに三井物産を立ち上げる益田孝《ますだたかし》が恭平の宿に泊まった。これが転機となった。恭平は益田から新時代到来のあらましを聞き感動。英語を学びはじめ養子先と縁を切って上京。益田の会社に入社した。その時の所持金は一円七〇銭。いまの六万円ほど。月給は四円六〇銭という。裸一貫からはじめて刻苦。ついには日本の主要ビール会社を束ねて大富豪となった。死ぬまで現役。大日本麦酒の社長であった。

健康法は四カ条あった。「①毎朝早起きをすること適度の睡眠をなすこと②毎日適宜の運動をすること③飲食は控えめにし努めて美食を避けること④禁煙」。仕事のストレスについてはこう語る。「いずれの事業でも相当の苦心や心配はある。事が発生した時、苦心焦慮《くしんしょうりょ》、心を配ることは大切だが、自分の身体が衰弱するほど心を痛めることは愚《ぐ》なることである」。心配してもいいがそれで衰弱しては馬鹿らしい。「いかなる大事でも誠心誠意、私心を挟まず心を配れば必ず局面展開の道がある」という彼の言葉を信じたほうがいい。

【東郷平八郎】（一八四八〜一九三四）――無言――

無愛想もある場合には、人生に必要なることあるべし。

東郷平八郎《とうごうへいはちろう》は生まれついての戦士といわれた。連合艦隊司令長官としてバルチック艦隊を迎撃したが、大砲一発目を撃ち、戦いが始まると「晴れ晴れとした、せいせいとしたわが意を得たりというか面相が変《かわ》った」（有馬良橘《ありまりょうきつ》談）。もとより寡黙。細かいことまで知っているが黙って何もいわない。この薩摩人は無愛想を自覚。冒頭のように語った（小笠原長生《おがさわらながなり》『東郷元帥詳伝』）。

東郷の無言は彼の威徳を高めた。〈東郷さんは二〇インチか三〇インチの鋼鉄板みたいな抵抗力と意志を感じさせる人〉（山梨勝之進『山梨大将講話集』）であった。東郷は才人ではない。ただ「迷わぬ男」であった。政治も外交も何を聞いても本人のなかでは善悪の意見が決まっており、即問即答した。こういう男は実戦に臨んだとき決断に迷いがない。血戦場の司令官には向いていた。だが柔軟な考えや大局的な見方には乏しい。

この東郷が、日露戦争後、精神主義を語りはじめた。「敵の砲力が大きく我が砲が小でも心配するな。我が刀が短ければ一歩踏み込んで敵を討てばいい」。実戦時の戦訓だが、これが誤解された。また我が道を行くタイプの東郷は国際的な軍縮条約にも乗り気でなかった。日本海軍は東郷を英雄に祭り上げ、迷走をはじめた。東郷には無愛想の威厳がありすぎた。威厳がなければ上司の指示は行き届かないが、上司は常に部下が物を言える雰囲気を用意しておかねばいつか道を誤る。

東郷はスープもズルズル音を立てて豪快に吸った。部下が「外国人の前でだけは音がしないように吸ってもらわないと体裁が悪い」というと「うん」といったが、次にはわざと前よりも大きな音を立てて飲んだという。

【高橋是清】（一八五四〜一九三六）

それでどんな失敗をしても、窮地に陥っても、自分にはいつかよい運が転換してくるものだと、一心になって努力した。

高橋是清《たかはしこれきよ》は戦前の蔵相・総理大臣。不遇の育ちのわりに性格が明るく周囲は首をかしげた。一体、人間は大不幸に遭うと、楽観的に物を考えられなくなるが、高橋はそうでなかった。

高橋はその生まれからして波乱。母は一五歳の少女。奉公先の主人に妊娠させられ高橋を産んだ。生後三、四日で仙台藩の足軽高橋家の里子に出され、生母と離された。生母とは二歳時に一度、お宮の境内で対面したきりである。九歳になって母の家を探しあてたが、母はすでに世を去っていた。一八六七（慶応三）年、一三歳でサンフランシスコに留学。しかし人を疑わぬ年頃、英語で〈何が書いてあるか薩張《さっぱ》り分らない〉書き付けにサインしてしまい、奴隷に売られた。幸い救出されたが、その後も、投資話にのせられて大損。ペルーの鉱山開発では、家屋敷を売る羽目になった。ところが高橋は一貫して楽観論者で前向き。それには、幼時のある事件が原因していると、本人が『高橋是清自伝』に書いている。

高橋は二、三歳のころ誤って藩主の奥方の前に飛び出した。しかも奥方のきれいな着物をつかみ「おばさん、いいべべだ」と言った。周囲は顔面蒼白《そうはく》。しかし奥方はそんな高橋を可愛いと思ったのか大喜び、叱《しか》るどころか色々な品を与えて帰した。足軽の子が奥方に召されるなど例がない。足軽長屋の人々から「高橋の子は幸福者《しあわせもの》よ」と言われ続けて育った。〈自分は幸福者だという信念が、その時分から胸中ふかく印《いん》せられ〉どんな失敗をしてもいつか自分には運が巡ってくると信じて努力する癖がついたという。自分は運がいいと思って生きる大切さを物語っている。

【益田鈍翁】（一八四八～一九三八）

死なくてもよい人がご馳走《ちそう》のために死ぬのを見ては黙っていられない

食生活の欧米化は短命につながる。いちはやく、それに気づき完璧《かんぺき》な手を打った最初の日本人は、三井物産の創始者益田《ますだ》孝《たかし》（鈍翁《どんのう》）ではなかったか。

益田は佐渡金山の地役人の子。二歳で「重い疱瘡《ほうそう》をして」虚弱で「とても長生きは出来まい」といわれた。しかし父の箱館転勤を機に英語を学び、一二歳で幕府外国方の通訳になり、江戸のアメリカ公使館に詰めた。「西洋人と同じ物を食ってえらくなりたい」一心で公使館の牛肉を盗んで食べ西洋の味を知った。二年後、ちょんまげ姿の幕府使節団と渡仏。西洋文明に圧倒され〈マルセーユに着いて、同じ人間でこうも違うものかと言うてみなが泣いた〉。そこで西洋料理を食べると、フランスの令嬢から「(日本人も)やはり口から食べるのね」といわれ傷ついた。

洋食への目覚めの早かった益田は早くから豚を飼った。ある日、重大な事実に気づく。自分の残飯や甘藷《かんしょ》を食わした豚は脂肪だらけ。豆腐かすと魚のあらを食わした豚はそうならない。賢い益田は〈人間もやはりこの通りに相違ない、これは第一自分の食物を注意しなければ〉と考えた。「日本人の食物は世界中で最も適当の食物であり、また日本人の食物中でも百姓の食する粗食が一番無害で適当なりとの論に帰着」した。

それから益田は〈ご馳走と聞いては強いて辞退〉、粗食の弁当を食べた。〈働き盛りの若手が宴会に出るのはやむを得まいが、出るならその前に飯を食っておくこと〉をすすめた。〈三井物産会社なぞでも、長く海外にいて肉食をするので、私よりも若い人が先に死んで行く〉(『自叙益田孝翁伝』)。そう嘆いた彼は粗食と毎日六キロの散歩で九〇歳まで生きた。

【小川芋銭】（一八六八〜一九三八）

境遇に拘泥《こうでい》して人世を短くする事は抑《そもそも》愚《おろか》なり

芋は好きだが食事もわずか。みな、その男のことを「仙人のようだ」といった。画家というより哲人。小川《おがわ》芋銭《うせん》は維新の年に生まれた。父は牛久藩士で高七〇石、維新で帰農。芋銭は幼時、辛酸をなめた。小間物屋の小僧にされ裸足で使い走り。学校教育はそれほど受けていない。実際には画塾などにも通っているが、「一年足らず牛久の村塾に通ったのと、東京桜田小学校に一年半ほど通っただけ」とまでいわれた（斎藤隆三『大痴芋銭』）。ところが独学。晩年には儒学、漢学、禅学はもとよりゲーテまで論じる教養人となり、日本画の道をきわめた。

そんな芋銭の哲学は〈古《いにしえ》抜群の人は決して境の為《ため》に纏縛《てんばく》されずして変通自在なり〉。境遇に左右されるな、心の自由をもて、といった。自分の心の主人になれ。貧富にしばられるな、悠然とせよ、という哲学であった。財閥で社会事業家の渋沢栄一が死んだとき、彼は「富に繋縛せられざる」といっている。「時と境に催され多忙。むしろ狼狽《ろうばい》の心地に彷徨《ほうこう》する場合がある。この時、いつ来たとも知らず、悠然として座っているものがある。これが心の主人である。この主人の指図にしたがえば間違いは起こらないですむ」（犬田卯『芋銭子名作集』）

昭和金融恐慌のときも〈物質的不況時代は精神的工夫の好時期と存候。意志鍛錬の修業時に候〉と書いた。困った時こそ〈確固たる精神が心身の中心を取る〉ことが大切だとも。「生とは我が物のようで実は我が物でない。すでに我が物でない生をいかに極愛してもいつまで永《なが》く愛せるものでもない。ただ生きる間を無駄遣いせず、最もよく正当に生きる。そこに安心ができます」。彼の言葉に、はっとさせられる。

【西園寺公望】（一八四九〜一九四〇）

大臣に人を得ないかぎり、次官以下、どんなに人材を集めてみたところで、大したことは出来ッこないよ。

西園寺《さいおんじ》公望《きんもち》ほど、大臣の質ということに悩まされた政治家もあるまい。公家出身。幕末の動乱を生き抜き、フランスに留学。議会政治と自由の思想にめざめ帰国して自由民権の新聞を発行。その後、伊藤博文に誘われて政界入り。みずから二度、首相をつとめた。卓抜した政治眼をもち、晩年は「最後の元老」として、昭和天皇に誰を首相にするかの推薦を行い、事実上、首相を決める男となった。

西園寺の政治眼を涵養《かんよう》したのは幕末維新の「英雄」たち。少年期から維新に加わった西園寺は、彼らのすごみを知りつくしていた。一九三五（昭和一〇）年、米寿を祝われたとき、西園寺のもとに多くの昭和政治家が駆けつけたが、その顔ぶれをみて、西園寺は〈今にして思へば、木戸、大久保、伊藤、或《あるい》は加藤高明、やや落ちるが、原敬など、いずれもひとかどの人物だったが〉（『陶庵公清話』）と、つくづく人材の払底を嘆いた。その不安は的中。西園寺の死後、日本は無謀な対米戦争に突き進んだ。

官僚が優秀なら大臣はぼんくらでも勤まる、という考えは危ういと西園寺はいう。〈愚鈍、或《あるい》は邪悪な亭主に、どんないい女房がついていたからとて、決して家運が興るわけに行かない〉のと同じで、〈大臣の欠点を次官に扶《たす》けさせる、といふ考え方〉はまずいというのである。〈ほんとうのことを言へば、政治に明るい人が事務をとってこそ、初めて事務らしい事務になる〉。政策細部に詳しくない大臣が事務を官僚に任せる政治を〈その根本精神からして、実は間違っている〉というのが、この老獪《ろうかい》な政治家の言葉である。

【桐生悠々】（一八七三〜一九四一）――博愛――

愛、普遍愛の持主《もちぬし》のみこそは、一時は迫害されても、未来永劫《えいごう》に亘《わた》って、世界を支配する

歴史には時折、奇跡のような人物が現れる。世の中がまるごと誤っている時、たった一人でその風潮に抗しまっとうな意見を述べる人物が出る。

桐生悠々《きりゅうゆうゆう》。旧制四高で哲学者狩野亨吉《かのうこうきち》に学び、東京帝大法学部を出たが官僚にならず、昭和戦前この国が破滅に進むなか新聞人として警告を発し続けた。恐るべき予見力であった。桐生は、日米開戦前に死んでいるが、日中戦争の泥沼化↓対米開戦↓米軍の大空襲↓壊滅的敗北↓占領下の大軍縮と、すべて言い当てている。しかし世間は彼の意見に

耳を貸さぬどころか迫害。戦後になってはじめて彼の偉大さに気づいた。

桐生は、日本人は雰囲気に流されやすいと感じ、付和雷同しない秘訣《ひけつ》を説いた。〈原因から、結果に至るまでの順序を知らなければ、依然として無智《むち》である〉といい、世間の答えに惑わされず、なぜそうなるのか自分で順序だてて考える習慣をもて、と呼びかけた。ワンフレーズのスローガンは人間の思考を省き「答え」だけを人々に信じ込ませるから危ない。また正しい判断には広い視野が不可欠。狭い価値観にとらわれず、つねに他の文明と自分の文明を比較して考えよ、と説いた。

冒頭は、あらゆる新聞から追われた桐生が記した予言。彼は普遍愛の勝利を信じていた。その理由は〈武力も金力も常に敵を少なくとも競争者を発生せしめるけれども、愛は万人を平等に取り扱って敵を持たないからである〉という。〈教育に愛の予算を〉ともいった。〈戦争の為《ため》に、百億の予算を組む国家と、教育の為に、百億の予算を組む国家と、いずれが将来性あるかは問わずして明である〉。青くみえても彼の予言は当たっている。

【大錦卯一郎】（一八九一～一九四一）――稽古――

打突《ぶつか》り稽古《げいこ》で、根も力ももう是《こ》れ限りと思ふと、いつともなく不思議に新しい力が湧《わ》いて来ます

大錦卯《おおにしきう》一郎《いちろう》は本名細川卯一郎。大阪人。幼時より超人的な身体と頭脳。ソロバン・簿記で無双の腕前。成績もトップクラス。難関の府立天王寺中学に入り二〇キロメートルを平然と泳ぎ、靴底をわざと抜いた裸足靴を作ってはき「是《これ》が一番底が減らない」とうそぶいた。折しも日露戦争。騎兵将校にあこがれ陸軍幼年学校をめざしたが体格が良すぎ、体重過大で不合格。そこで友人の兄がいった。「お前、力士はどうや」。このインテリは何を思ったか突如、中学を中退。名横綱・常陸山の部屋に入った。

これが良かった。この頭脳派の男が常陸山に入門したことで相撲は近代化された。大錦は相撲に合理的な稽古法と戦略と技の体系を持ち込んだ。対戦前に相手を徹底して分析。〈その取口《とりくち》は力学の法則を根幹となし、敵の心理状態の微妙な動きを考慮〉〈凡《すべ》ての力士の仕切《しきり》の癖を研究し仕切中の手足の動きや顔面神経の細かい動きまで洞察〉した（生駒粂蔵の言）。当時の「無知な角力《すもう》社会」（大錦の言）を相手に、彼は無人の野をゆくごとく勝ち進んだ。

初土俵から五年目で入幕。六年目で大関。七年目で横綱に。入幕以来の勝率は八六％（加藤進『歴代横綱物語』）。驚異的な強さだ。彼は自己を成長させるには繰り返し自己の限界に挑戦せよといった。古井戸をくみ尽くすと、新しい岩清水が湧くのと同じで、新しい力がつくといった。

しかし頭が良すぎたのだろう。力士のストライキ事件を契機に突如、彼は横綱を引退。今度は早稲田大学政経学部に入学し軽々と卒業。実業でも成功し、東京・銀座に近い一等地に広大な「旅館を経営し巨万の富を擁」してその生涯を終えたと記されている。

【狩野亨吉】（一八六五〜一九四二）——相対——

価値などは人間がグループを作る上の指導的なものに過ぎない。

私はこの人が遺《のこ》した膨大な蔵書を読むのが楽しみで生きている。一〇万冊の和装本。日本思想の宝庫だ。

狩野亨吉《かのうこうきち》は明治の哲人。人格高潔。博覧強記。学識の最高峰とされた。夏目漱石は彼を終生敬愛、漱石の弔辞も彼が読んだ。三四歳で第一高等学校長。京都帝国大学文科大学の初代学長となるが、文部省が学歴偏重、天下り人事を押しつけたのにあきれ、二年で辞任。突如、古本・古道具屋をはじめた。しかし、皇太子の教育係は狩野しかいないと、昭和天皇の補導役に推された。だが狩野は固辞。理由があった。

狩野は、価値とは、真理とは何かを考え抜き、ある結論に達していた。価値や真理に絶対はない。

〈ただ自然があるだけで、その自然には価値も何もない〉。善悪是非などの価値は人間がつくるグループに固有のもの。〈そのグループだけにとって大切なプリンシプルというようなものが出来〉、〈そのグループを拘束する原則に〉なっているにすぎない。〈人間是非あり。自然善悪なし〉と狩野は悟った。だが、この思想はすべての価値を相対化してしまう。価値は〈そのグループを離れると、他に通じないもので、無価値なものである〉。

当時、天皇や国家、忠孝の価値は絶対。この思想で未来の天皇を育てるわけにはいかない。それで狩野は隠遁《いんとん》をつづけた。日米開戦を知ると〈神がかりや曲学阿世《きょくがくあせい》の徒が国家を滅ぼすことになった。もう二年もすれば、アメリカの飛行機が空を掩《おお》うて来襲し、ここら一帯は全部焼野ガ原になる〉と言い残して死去（鈴木正『狩野亨吉の研究』）。正確にその通りになった。この男が昭和天皇を教育していたら、と思わぬでもない。

【島田　叡】（一九〇一〜一九四五）

アホの勉強をせい。人間アホになったら一人前や。

沖縄戦の直前、沖縄県では県知事も副知事にあたる内政部長も出張と称し「口実をもうけて内地に引き揚げ」た。頭のまわる内務官僚は県民を捨てて本土に退避をはかった。その沖縄に知事としてあえて赴任した男がいた。島田叡《しまだあきら》。神戸出身の官僚。若い警視時代「愛される警官。市民の幸福のためしゃくし定規やセクト主義はいけない」と訓示。上司ににらまれ地方転勤一三回。

島田は佐賀県警察部長の時、史家・雑賀鹿野《さいがろくや》から西郷隆盛の話を聴いた。西南戦争前、西郷が私学校で講義を終えて席を立とうとすると弟子が質問。「先生、偉い人とはどんな人ですか」。西郷は答えた。「偉い人とは大臣とか大将とかの地位ではない。財産の有無ではない。世間的な立身出世ではない。一言につくせば後ろから拝まれる人だ。死後慕われる人だ」(『沖縄の島守島田叡』)

この言葉が島田を決心させた。〈今夜はほんとうに痛棒を喫しました。中学時代から野球選手としてチヤホヤされ、大学卒業後は官吏となって部下から頭を下げられて、うぬぼれていました。今後こうした臭味を一掃して真の自己完成に精進します〉〈石川啄木の歌『こころよく我にはたらく仕事あれそれを仕遂げて死なむと思ふ』を座右の銘に実践したい〉。島田はそういって帰った。

その後、沖縄に赴任。警察部長荒井退造と懸命に県民の疎開をすすめ県内外に約二〇万人を移したところで地上戦。「僕ぐらい県民の力になれなかった県知事はいない。多くの県民を死なせた責めを負う」と最後まで投降せず、沖縄に散った(田村洋三『沖縄の島守』)。冒頭の言葉を、秘書に口癖のように語っていたという。

【鈴木貫太郎】（一八六八～一九四八）

日本人は驚くべき能率をも発揮し得る国民である。

昭和天皇が「終戦」を決意したとき最後に頼ったのは鈴木《すずき》貫太郎《かんたろう》であった。戦争は坂を下る車に同じ。始めるよりやめるほうが百倍難しい。ましてや国土を焼き尽くした負け戦をとめるのは至難の業だ。終戦工作にあたり、誰を総理にするか。そのとき天皇は鈴木をよんだ。「この重大な時にあたって、もう他に人はいない。頼む」（藤田尚徳『侍従長の回想』）

だが鈴木はすでに七七歳。一八六八年（慶応三年一二月二四日）の生まれ。日清・日露戦争生き残りの海軍大将。この老爺《ろうや》が戦争の後始末に引き出された。昭和の戦争のしりぬぐいが最後の江戸人によってなされたことは記憶されていい。

慶応生まれの鈴木は最後の武士だ。この世代は、江戸の武士道と、明治初年の開明自由の空気で育っている。第一、非常な読書家。漢籍洋書とも乱読。教養がしっかりしていた。練習艦隊で南米ペルーに寄港した時には突如、乗組員に「諸君にインカ帝国の歴史を説明しよう」といい、滔々《とうとう》とインカ史を語り出したという。まだインカ帝国が十分研究されていない一九一八（大正七）年のことである。

敗戦後、鈴木は二年八カ月生きた。戦争放棄は、兵器が異常に進歩する今日、全世界にひろげるべき、インドの古代文明に実現例がある、と自伝に書き、日本人に二つのことを言い残している。その一、武士道は武を好む精神ではない、正義・廉潔・慈悲を貴ぶ精神である。日本人は武士道の美徳を失ってはならない。その二、これからは世界文化の競争がはじまる。勤勉であり能率的でなければならぬ。日本人は驚くべき能率をも発揮し得る国民である。そう遺言して世を去った。

【小泉又次郎】（一八六五〜一九五一）——身分——

同じ人間を上等だの下等だのと、そんなべらぼうなことが世の中にあるか。

小泉又次郎《こいずみまたじろう》は明治末期から昭和の政治家。現在ではむしろ小泉純一郎元総理の祖父として知られる。又次郎は異色な政治家だった。戦前、浜口雄幸内閣の逓信大臣（郵政担当）として入閣したとき、世間は、あっと驚いた。当時は「大臣といえば正何位勲何等」という高位高官が就任するもの。又次郎は横須賀の「親分」から市議会議員、議長と、たたき上げた男。全身に龍の刺青のある「全くの野人」で「真に一介の党人から一躍大臣になったのは小泉が初めて」といわれた。

政治家になるにあたり、又次郎を発奮させたものがあった。又次郎の父は由兵衛という、農民をやめて、横須賀で海軍の土木工事を請け負う人材派遣業をはじめた人。又次郎は一三歳で小学校を出たが、父に反対され、中学校に進学させてもらえない。海軍の職工になれ、といわれた。だが、又次郎は嫌だった。理由があった。

明治初期の横須賀では親の職業で子供の通う小学校がきまった。又次郎が「通った小学校は平民小学校」「その外《ほか》に官員学校というのがあって、そこへは海軍軍人の子供が通い、平民の子は入学を許さなかった。これが第一、小泉の癪《しゃく》にさわった」。これにより「反官僚的素質」と冒頭の言葉のような人間平等の思想が芽ばえたと後年述懐している(岩崎徂堂『歴代閣僚伝』)。又次郎は「国民は政党の裁判官」とよび、藩閥を世襲する貴族政治家と対決。国民の共感を得た。

しかし歴史は皮肉だ。閥族を批判し、最も世襲政治とほど遠かったはずの彼の地盤はいまや日本で最も長いほうの世襲選挙区になっている。

【小平浪平】(一八七四〜一九五一)

幸と云《い》ひ不幸と云ふも皆比較的のもので、自分以上に幸福のもの、不幸のもののある事をほんとうに体得せよ。

小平浪平《おだいらなみへい》は日立製作所の創立者。電機立国の基礎を築いた。小平は学生時代から〈模倣〉が嫌い。「模倣で満足する限り日本の工業は論じるに足りない」と〈自力で作る〉ことにこだわった。

明治は、日本人が、未来は変わる、自分の手で変えると、信じていた時代だ。小平がお盆に帰省すると一〇歳の弟が出迎え「入り口のくぐり戸を電気の力で開けられるか」ときく。「容易《たやす》いことだ」と答えると弟はうっとりする。その頃の日記に小平は「わが国の工業が振るわなければこれを振るわせるのは自分の任務」と書いている（『晃南日記』）。明治のエリートはやることが徹底している。小平は栄職を捨てて日立鉱山でつかう電気機械の修理責任者になった。しかし外国製品の修理だけではつまらない。そこで一世一代のむちゃをやった。「鉱山機械の修理工場を造る」といって経営者から予算をとり、実際には電動機などの国産化工場を建設した。これが日立製作所になる。

小平は世話焼き。結局、日本の電機産業なりたちの世話を焼いたといっていい。「人を世話するなら徹底的に気持ちよくしなくては駄目。飼い犬に手を噛《か》まれたなどと泣き言をいうくらいなら初めから世話せぬがよい」といっている。長生きの秘訣《ひけつ》は〈人に迷惑をかけるな。出来る丈《だ》け人の世話をせよ。何処《どこ》までも親切に徹底的にせよ。恩は忘れてはならぬが恩を売ってはならぬ〉を守ること。冒頭のように幸福と不幸を達観できれば〈諦《あきら》めの修養も出来る。厭《いや》な奴《やつ》に頭を下げずに安眠が出来て長生《ながいき》が出来る〉と語った（『小平さんの想《おも》ひ出《で》』）。人の幸、不幸のかなりの部分は心の持ちようのなかにあるのかもしれない。

【大河内正敏】（一八七八〜一九五二）——味覚——

舌は科学のとどき得ないところまで達する。

桁外《けたはず》れの教養人が敗戦後、巣鴨拘置所の独房に囚《とら》われていた。子爵大河内《おおこうち》正敏《まさとし》。旧大多喜藩主家一二代。華族のなかで最優秀の頭脳といわれ、東京帝国大学の造兵学科を首席で卒業。同学科の教授となる。日本は資源が少ない。科学力と工業の結合が不可欠と考え、理化学研究所（理研）の所長となり、ビタミンを発見した鈴木梅太郎、「味の素」の発明者池田菊苗らに自由に研究させ、次々に新発明を生み出した。日本の人口増に米生産が追いつかなくなるのを予見。米を用いず日本酒をつくる合成酒の研究を開始させた。そのなかで栄養素や味覚についての世界最先端の研究が理研で行われた。

ところが日本は世界大戦に突入。理研は米国の原爆開発を察知し、核研究にも着手。敗戦後、米軍に身柄を確保され獄につながれた。だが獄中、悠々と本を書く。題は『味覚』。殿様で大美食家で味覚の先端研究を知る人間が監獄の飯を食いながら食について考えた奇書。五感のなかで味覚ほど科学で解明できないものはない。かつて合成酒の研究をしたが一〇〇万分の一でも甘味が変わると人間の舌はそれを感知した。鈴木梅太郎博士はじめ驚くばかりであったと、彼はいう。

あるとき彼は、我々の味覚が見栄《みえ》や外聞、体裁といった人工手段で曲げられていることに気づいた。大河内は殿様育ち。朝鮮で鷹狩《たかが》りをした。そのとき鷹が真っ先に獲物の雉《きじ》の脳みそを食べるのをみて〈動物の味覚は栄養の豊富なものへと自然に向いている〉のを目の当たりにした。食べ物は値段ではない。ブランドでもない。自然の恵みを自分の舌でさがすものらしい。

【本多静六】（一八六六～一九五二）

私の体験によれば、人生の最大幸福は家庭生活の円満と職業の道楽化にある。

本多《ほんだ》静六《せいろく》は武蔵国河原井村（現・埼玉県久喜市菖蒲町）の生まれ。八人兄弟の六人目。自著によると、家は名主で田畑は一二町あったが一一歳で父が脳出血で死去。米搗《こめつ》きをしながら一九歳で官立の東京山林学校に。ところが最初の試験に落第。〈悲観して古井戸に投身した〉が、途中で引っかかり死の刹那《せつな》に「塙保己一《はなわほきいち》は盲目でありながら六百三十余巻の『群書類従』その他を著したのだ」と祖父に励まされたのを思い出し、這《は》い出す。それから〈決死的勉強〉をして東京帝大の造林学の教授になり日比谷公園などを設計。〈死んだ方がましだと思う場合でも、しばらく忍耐しておれば、いつしか希望を生じ光明を認め、解決の緒が見出されて、かえって偉大な成功をもたらす〉と、後年語った（『私の生活流儀』）。

彼はまっとうな方法でサラリーマンが財産をつくる方法なるものを考案。事実、巨万の富を築き、公共に寄付。奨学金制度を作った。〈金というものは雪だるまのようなもので、はじめはほんの小さな玉でも、その中心になる玉ができるとあとは面白いように大きくなってくる〉。まず節約して貯蓄＝雪だるまの芯をつくり、貯金利子でも家賃収入でもいいから、お金がお金を生む仕組みを持てと説いた。経済的に自立すると、仕事がお金のためでなくなり、いよいよ面白く、人一倍働ける。これが「職業の道楽化」で、家庭円満なら人生は幸福といった。

人生を改良するのはアイデアだ。彼は手帳の利用を勧めた。「知識は小鳥のようなもので飛んできた時に捕らえて籠《かご》に入れなければ自分のものにできない」。彼は寝床にまで手帳を持ち込み、生涯、メモをとり続けたという。

【尾崎行雄】（一八五八〜一九五四）——選挙——

わが国の有権者の多数はまだ自分の一票に憲政を活殺する程《ほど》の力があることを知らない。

この国の議会と選挙について最も長く、そして深く、見つめ続けたのは、尾崎行雄《おざきゆきお》だ。一八九〇（明治二三）年第一回総選挙に出馬。三一歳で初当選。以来、二五回連続当選し、九五歳で絶命する前年まで、衆議院議員をつとめた。日本憲政史上不滅の最長記録とされる。

鬼気せまる執念が尾崎を生かしていた。明治初年の文明開化の空気で育った彼は理想家で、日本に〈名実かねそなわる政党政治を実現する〉夢を追いつづけた。しかし政党モドキの利害集団しか出来ない。「なんとしても本来の政党をつくらねばだめだと思ってずいぶん骨を折ってみたが、どうしてもだめであった」。敗戦直後「なぜだろうと考えてみた」という。やはり日本人は利害や感情で結ばれる親分子分の私党レベルで政治を考えてしまう。政策で結ばれて行動する公党の精神をのみこめていない。そもそも「頼まれたから」「義理があるから」といって投票するのはおかしい。それをやっているうちは本物の政治はやってこない。老いた尾崎はそう思い、最後の力をふりしぼり、投票の心得を有権者に説いている。

〈自分はいかなる政治を希望するかという自分の意思を、はっきり決めてかかることが大切である〉〈各政党の政綱政策をまじめに研究し、自分の希望するような政治をやる政党はどれか、よくよく見極めてから投票すること〉(『民主政治読本』一九四七年)。

尾崎の生きた時代にくらべ今日の選挙は隔世の感があるが、日本国民は自分の希望するような政治を手に入れられているだろうか。

【相馬愛蔵】（一八七〇～一九五四）――叱正――

本人の善行などを先にほめておいてから最後にその失策をあげて反省を促す

相馬《そうま》愛蔵《あいぞう》は東京新宿中村屋の初代。カレー、ボルシチなどを日本に紹介した。長野県安曇野の生まれ。一歳で父を六歳で母を失い、兄に養われ東京専門学校（早大の前身）を卒業。はじめ蚕の改良を手がけたが、都会育ちの妻の随筆家相馬黒光《こっこう》の病気を機に上京。東大赤門前の「中村屋」を買い取りパン屋をはじめた。

彼は高学歴のクリスチャン。開業時に「食事は主人も店員女中たちも同じものを摂《と》る」と誓いをたてた（『一商人として』）。丁稚《でっち》小僧をひどい食事とゲンコツで使っていた時代に、愛蔵は店員を紳士として扱うと宣言。また外国人も待遇平等とし、朝鮮、中国、ロシアからギリシャ人まで使って新商品を開発した。年数回、一等席で観劇と相撲見物。毎月商業で成功した大先輩を店によび講話をきかせ店員教育。一流の料理店で絵や彫刻までみせた。「食事は些細《ささい》なことのようだが非常に大切。並以上のものを食べているという自覚は大変その人の人格に影響を与える」といった。

そのうえで愛蔵は店員一人ひとりに経営参画意識をもたせ仕事の効率を求めた。店員を適材適所に配置。毎日の日課を定め義務を果たせば休んでよいとし、メリハリのある働き方をさせた。好待遇で店員の士気を高め、中村屋は高い労働生産性をあげた。一人一日の製造販売金額が四三円。国内同業者の二倍に達した（『私の小売商道』）。愛蔵は店員を叱る時、細心の注意を払った。本人の過去の善行を調べさせ「かほどの手柄をたてながら今回の失策は汝《なんじ》のために惜しむ」という言い方で叱った。過去の失敗をならべて、上司が部下を叱るのはまずい。叱正《しっせい》は理よりも情と心得たい。

【小林一三】（一八七三〜一九五七）――結婚――

良人《おっと》を選ぶなら、自分の職業を楽しんで、邪念なく、朗《ほが》らかに働く青年を選びなさい。

小林一三《こばやしいちぞう》は阪急電鉄の創設者。東京電燈会長・郷誠之助は〈小林は常人の考え及ばないような名案を出す、あれは天才だ〉と評す。〈武士は傍《かたわら》に刀を置くが、それは鞘《さや》に納まっている。小林さんは抜身《ぬきみ》を置いている。隙《すき》があれば、バッサリやられる〉切れ者とされた（『小林一三翁の追想』）。事実、沿線を総合開発する鉄道経営法をあみだし、日本中の鉄道会社が彼の経営を模倣した。

さらに、演劇や映画を企業化するノウハウを独創。宝塚少女歌劇も始めた。小林は宝塚の舞台に惜しい女優でもその結婚引退を引き留めなかった。働く女性の結婚を考慮することが〈女性の関与してゐる事業を成功させる要訣《ようけつ》〉とみて、良い結婚相手の選び方まで指南している（『私の行き方』）。

小林のいう「良い男選び」は簡単だ。どんな職業でもいい。結婚相手はその仕事自体が好きなのか。成功したい出世したいから、やむなく仕事をしているのか。そこを見ろ、といった。出世や成功を目的に働く人は、いきおい不平が多くなる。〈自分の職業を重荷の如く考へて、その辛《つら》さ、苦しさ、割の悪さを並べ立てるやうな青年を決して選んではなりません〉。自分の職業が好きで楽しみ夢中になって働く人を選べ。ただ、仕事ばかりの人は人間生活が狭くなるからいけない、ともいった。趣味の広い人がいい。一つの趣味に凝り固まって他に見向きもしないのは無趣味と同じ。〈趣味の広い青年は、家庭生活を楽しむことのできる青年です〉といっている。結婚相手の選び方など人それぞれだろうが、楽しく働けている人のほうが、相手に選んで幸福な生活を築きやすいのはたしかだろう。

【藤原銀次郎】（一八六九～一九六〇）――――――――雇用――

賃銀は高く払ってよく働いてもらう。そしていい人を少数働かせる。これが根本的な原則だと思う。

藤原銀次郎《ふじわらぎんじろう》は明治から昭和の実業家。彼が経営するとどんなボロ会社もたちまち復活。王子製紙などを育てあげた。その秘訣《ひけつ》は〈欠点ははやく発見する〉こと。機械は一〇〇%の力があるが原料が六〇%しかない。原料を一〇〇%になるようにすれば機械も一〇〇%まで動かせる。そういう発見に努めた。しかし藤原はいう。〈人の融通も大切である〉。ひまな部署、忙しい部署を見分け「人物融通」をする人事配置の改善が大切。現代でも日本のサービス業の労働生産性の低さが課題になっているが、藤原は一九四〇年の時点で「日本人の能率が現在のままでは日本の商工業は充分発達し得るものではない」と警告している（『事業学・人間学』）。

また、藤原は臨時工＝非正規雇用を雇い不景気ですぐ解雇する経営のあり方を問題視。〈涙で以《もっ》て成るべく解雇の数を少《すくな》くして、さうして解雇をしないでまた、資本家の方も我慢〉する（『私の事業観人生観』）。「安い人間を安く使うのは大変得のようだが〈安い労働力は働きが見込めず〉結局は大きな損」になる。「高い賃金で少《すくな》く人を使うと涙でもって人を使うことが徹底」して結果がよいといった（『私の経験と考え方』）。

藤原は「愉快に働く法十カ条」を残して死んだ。〈①仕事をかならず自分のものにせよ②仕事を自分の学問にせよ③仕事を自分の趣味にせよ④卒業証書は無きものと思え⑤月給の額を忘れよ⑥仕事に使われても人には使われるな⑦ときどきかならず大息を抜け⑧先輩の言行を学べ⑨新しい発明発見に努めよ⑩仕事の報酬は仕事である〉。これほど仕事に打ち込めた彼は幸せであったろう。

【山本玄峰】（一八六五〜一九六一）——心眼——

死んでから仏になるはいらぬこと　この世のうちによき人となれ

慶応元（一八六五）年の寒い日。紀州湯の峰温泉で一人の赤子が産み捨てられた。貧しいから育てられぬと親は床下に放置。桶《おけ》をかぶせた。赤子は寒さで死ぬはずだったが温泉の地熱があった。噂《うわさ》をききつけた人がその子を欲しがり桶をのけると虫の息。焼酎を口に含んで吹きかけると息を吹き返した。

赤子はその後も苦労。寒村のこと、九歳まで手習いをしたが学校にはやってもらえず、紀州の材木を運ぶ筏流《いかだなが》しとなった。そのうえ一九歳のとき眼病でほとんど視力を失う。

しかも家には実子が生まれ、もらわれ子としては居づらい。野垂れ死に覚悟で四国遍路に出た。しかし、ようやく障子の桟が見えるほどの視力。行き詰まった。そこで一人の和尚・山本太玄に拾われる。「私は目が見えず、字も読めず、葬式が出来ません。こんな人間でもお坊さんになれますか」というと太玄は「親からもらった目はいつの日にか見えなくなる。しかし仏様からもらった心の眼はいったん開いたら潰れることはない」「葬式坊主ならいくらでもいる。あんたは心眼を開いてほんとの坊さんになりなさい」と自分の名字まで名乗らせた（『無門関提唱』、『回想―山本玄峰』）。

こうして生まれたのが山本玄峰《やまもとげんぽう》。不自由な目で懸命に読書。禅の高僧となり、終戦直前、鈴木貫太郎首相に「大事な時ですから忍びがたきを忍び行じがたきを行じて」と助言した。玄峰は葬式仏教を嫌い、朝夕、心に種をまき手入れしてこの世できちんと生きていくことを説いた。「人間めいめいが心を修めることじゃ。心は化け物じゃから」といった。死に臨み、遺言は「自分の葬儀は絶対行わぬこと」であった。

【柳田国男】（一八七五〜一九六二）

小学校の下級生から判断力をみがいてやることが大切だ。ごく機械的なことから始めていい。

柳田国男《やなぎたくにお》は民俗学の祖。この国の津々浦々をたずね土地の風習や人々の語りから「日本とは何か、日本人とは何か」を問うた。これほど日本人を凝視しつづけた男もいない。その柳田が、敗戦後、この国をどうすればよいのか語ったことがある（「展望」一九四九年一月号）。柳田は言った。まず日本人には幼時から判断力を鍛える教育が必要だ。日本人は個人で判断せず付和雷同する。日本の子供は西洋の児童に比べ判断を迫られると〈人がなんと言うかと見廻《みまわ》す者が多くなって個人で判断することが少なくなっている〉。

しかし柳田は子供に〈何時でも正邪の判断が出来るよう〉にするのは〈教員の一種の技術でできる〉と断言する。〈判断力は選択だから、こっちとこっちとどっちがいいと言わせてみる〉機械的訓練を教育現場でやればよいという。

おそらく柳田の念頭には薩摩藩の郷中教育があった。薩摩には「詮議《せんぎ》」といって児童の判断力を鍛える教育方法があった。たとえば「殿様の用事で急ぐ場合、早駕籠《はやかご》でも間に合わぬときはどうするか」と子供に問い、答えさせる。

ふだんから、仮定の質問に答え、対処法を考える訓練をしていた。これにより、いざという時の処置判断を誤らせない。西郷隆盛も大久保利通もこの教育で育った。幕末の混乱期、最も見事な政局判断をみせたのは、彼ら薩摩藩の面々であった。

学校は知識ばかり詰めて判断を鍛えない。そのせいでどうもこのごろ、判断力が落ちてきている気がしないでもない。そうだとすると、どうにかしなければなるまい。

【山梨勝之進】（一八七七〜一九六七）――――――――――――――――交渉――

表面は、損をしたようにみえて、裏面で得をしている。これは、賢かったとあとで気がつくようであれば、まずまず成功。

ほんとうに社会に貢献した人は自分を輝かそうとしないから無名に埋もれている。山《やま》梨勝之進《なしかつのしん》がそうである。海軍軍人。小説『坂の上の雲』で有名な秋山真之は海軍大学校で、天才的頭脳からほとばしり出る戦略思想を少数の後輩将校に授けた。なかでも山梨が優秀。秋山思想を受け継ぐ者として将来を期待されていた。

ところが山梨はおのれを捨てた。海軍次官の時、ロンドンで海軍軍縮条約を結ぶ仕事がきた。当時は米国が勃興《ぼっこう》。米国と軍艦建造競争になれば日本はとても財政がもたない。

軍縮条約で米国の軍拡を規制する必要があった。条約は人類益・国益にはかなうが日本海軍にとってはリストラ。海軍の省益には反する。山梨はこれに尽力。顕職を追われた。「あんたなどは当たり前にいけば連合艦隊の司令長官、海軍大臣にもなるべき人。それが今日のような境遇になろうとは見ていて実に堪えられん」と、首相の若槻礼次郎に同情された時、山梨はこう答えたという。「いや私はちっとも遺憾と思っていない。軍縮のような大問題は犠牲なしには決まりません。だれか犠牲者がなければならん。自分がその犠牲になるつもりでやったのですから、私が海軍の要職から退けられ、今日の境遇になったことは少しも怪しむべきではありません」(若槻礼次郎『古風庵回顧録』)

冒頭は外交交渉について山梨が遺《のこ》した言葉(『山梨勝之進先生遺芳録』)。人生にもあてはまる。海軍追放後、山梨は昭和天皇に信頼され皇太子(今上天皇)の教育を担った。戦後、山梨は占領軍と交渉、現行憲法の制定過程にも関与していたことが明らかにされつつある。

【内田百閒】（一八八九〜一九七一）――教養――

知らないという事と忘れたという事は違う。忘れるには学問をしなければならない。忘れた後に本当の学問の効果が残る。

内田《うちだ》百閒《ひゃっけん》の随筆は名文。「おかしみの中に人生の深淵《しんえん》をのぞかせる」百閒は、岡山の造り酒屋の生まれ。夏目漱石に心酔し、第六高等学校（六高）から東大独文科に進学した。卒業後、母校六高の教官になる話もあったが、在学時代に遅刻ばかりしていたのがたたって不採用。陸軍士官学校や法政大学などで、ドイツ語の教鞭《きょうべん》をとった。百閒先生は悠々としたもの。授業開始のベルが鳴っても教授室でたばこの煙をくゆらし、教壇に立つと、彼一流の屁理屈《へりくつ》をこねはじめる。だが、その屁理屈こそが、生涯、忘れられない哲学として学生たちの心に残ったという。

ある日、学生がいった。「先生、ドイツ語は難しくてよくわかりません」「覚える先からみんな忘れてしまいます」。すると、百閒はいった。覚えたことを忘れまいとするその賤《いや》しい根性がいけない。忘れることなんか気にしないで、ただ覚えればいい。そもそも生まれた時からのことをみんな覚えていたら頭がおかしくなる（『百鬼園先生言行録』）。

また百閒はいう。学問はむしろ忘れるためにする。はじめから知らないのと、知ったうえで忘れるのでは雲泥の差がある。学問がその人に効果を発揮するのは忘れたあと。学問をするのにすぐ役に立つかということばかり考えるのは堕落の第一歩だと（「学生の家」）。

われわれは勉強した内容を忘れるのを必要以上に心配する必要はない。いったん覚え、そして忘れたものは後になって必ずその人に効いてくる。百閒先生は教養というものの正体をしっかりと学生に語っている。

【徳川夢声】（一八九四〜一九七一）

良い話をするには、別に雄弁を必要としません。

話すのが苦手という人は多い。この国最高の話術の達人、徳川夢声《とくがわむせい》が「ハナシ」の極意を『話術』という本に書き残している。夢声はもともと無声映画を解説する活動弁士。ラジオやテレビで活躍しその話術は日本中を魅了。「話術の神様」とまでいわれた。若い世代にはなじみがないだろうが、「彼氏」という単語もこの夢声の造語。一九三〇（昭和五）年ごろ、彼がラジオでひろめた（『明治大正新語俗語辞典』）。

夢声はいう。ハナシはコトバの材料で建てる建築。上手に話すには〈豊富なるコトバの整然たる倉庫〉になれ。本の音読や落語や他人の会話をきき、声調・口調、間の取り方を工夫するのもいい。しかし夢声は冒頭のように、雄弁は絶対条件でないという。ハナシも最後はその人の人格に行き着く。〈ハナシは人格の表識。故に、他人から好意を持たれる人格を養うべし。あえて聖人たれとは申さず。ハナシには、個性が絶対必要なり〉。良い心と強い個性を養うことが話上達の極意と断言した。

彼は人と会話するときの「座談十五戒」も残している。「一人で喋《しゃべ》るな。黙り石となるな。（威張って）反り返るな。馬鹿丁寧になるな。お世辞屋になるな。毒舌屋になるな。（愚痴の）コボシ屋になるな。自慢屋になるな。ほら吹きになるな。知ったかぶるな。賛成居士になるな。反対居士になるな。軽薄才子になるな。朴念仁になるな。敬語を忘れるな」。すべて他人への配慮である。

言葉は人の心を温めるためにある。それさえ押さえておけば、話術がなくとも、みんな話の達人だ。この話術の神様が死に際に発した最後の言葉は妻へのもの。「おい。いい夫婦だったなあ」であったという。

【古今亭志ん生】（一八九〇〜一九七三）——辛抱——

本気で辛抱してりゃ、自分の目には見えなくても、畳の目のように物事はすすんでるんですよ。

落語家の五代目古今亭志《ここんていし》ん生《しょう》は本名を美濃部孝蔵といった。美濃部家は旗本三千石の名門。しかしそれは祖父の代まで。維新で没落。父は巡査となっていた。

しかし孝蔵は道楽者。一〇歳でバクチを始め一一歳で小学校を退学。一三歳ごろから酒をおぼえ吉原や賭場に通った。一五歳の時ふんどし一丁で寝ていたら母が「お逃げ！孝蔵」と絶叫（江本弘志『昭和奇・偉人伝』）。跳び起きた。父が槍《やり》を突き出した。憤怒の形相でいた。父の金キセルを売って遊んだのがばれたのだ。孝蔵は必死で逃げた。浅草へ。人力車夫に交じり入れ墨をいれたところで落語家に弟子入り。

孝蔵は金がなくても酒を呑《の》む。師匠の羽織を質に入れても呑んだ。妻の持参金も一月で使い込んだ。妻が客から預かった縫い物まで質に入れた。こんな男だがどこか憎めない。すさまじい貧乏だが妻は逃げない。落語のけいこだけは夢中でやった。愛嬌《あいきょう》では誰にも負けなかったからだ。のちにこう語った。「貧乏なんてするものじゃありません。貧乏は味わうものですな」

彼には桁違《けたちが》いの「ずぶとさ」があった。そして落語の大名人になった。進路をあきらめそうな若者に、こういった。「あたしゃね、貧乏も苦労もしなきゃ、いい芸はできないと思ってる。辛抱がないからちょっと苦しいとほかの道へ行きたがる。これという道をえらんだら、それにくいついて惚《ほ》れなきゃ」。そして冒頭のように優しく続けた（「落語界」七四年一一月）。

世の中がこうなってしまった以上、我々には、本気の辛抱とともに、ある種の楽天と「ずぶとさ」も要る。

【岡 潔】（一九〇一〜一九七八）

頭で学問をするものだという一般の観念に対して、私は本当は情緒が中心になっているといいたい。

岡潔《おかきよし》に文化勲章受章者などという俗な言い方はそぐわない。多変数解析函数《かんすう》論の大業績をのこした数学者の単独峰と言ったほうがいい。

岡は天才。ゆえに俗世では生きにくかったようで〈日本が生んだ世界的な数学者〉であったが大学の職を去らざるを得なくなり、一時無職。奈良女子大学の教授として復帰するまで一〇年以上、和歌山県の紀見村（現・橋本市）にこもり、鳥のうたをきき〈野の花々を摘みながら〉思索した。岡先生が数学的思索にふけっていると村の子供たちは

〈じゃまをしないように退散した〉という（高瀬正仁『岡潔』）。

岡の思想のすばらしさは人間のもつ情緒の大切さをわれわれに気づかせた点である。一九六三（昭和三八）年、岡は随筆『春宵十話』を公刊。人間の中心にあってその創造性をささえているものは、頭でっかちの理屈ではなく情緒であると言ってのけた。

なぜ人間が数学上の発見ができるのか。それを岡は考えた。結局、子供が昆虫採集に出かけ、みごとな蝶《ちょう》をみたときの〈発見の鋭い喜び〉の感情に導かれて、学問的な発見はなされることに気づいた。自然をうけとる美しい情緒を心のなかに育てることが、人間にとって何より大切だと、岡は言う。日本人は情緒の世界にすみ〈人と自然との間にもよく心が通い合〉う（「日本の教育への提言」）。それがこの国の人々の美徳だと岡は強調している。この美しい国で自然そして情緒がそこなわれれば、人の心は腐り、社会も文化も悪くなる。〈そう考えれば、この日本で、もう春にチョウが舞わなくなり、夏にホタルが飛ばなくなったことがどんなにたいへんなことかがわかるはずだ〉。岡の直感は正しかったと、いまさらながら思う。

【新名丈夫】(一九〇六～一九八一)――――――――――気骨――

じっさいの政治は、楽屋裏で各省の官僚がやっている。議会では、たんにおしゃべりがおこなわれているに過ぎない。

新聞の役割はまだ見えていない社会の真実を示し、ひとびとの未来を誤らせないようにすることだ。かつて新名丈夫《しんみょうたけお》という気骨の記者がいた。

戦時中、東條英機首相が本土決戦・一億玉砕を叫び女性や子供に竹槍《たけやり》訓練をはじめさせた。そんなので勝てるはずがないと思ったが、みんな怖くて黙った。新名だけが書いた。「竹槍では間に合わぬ、飛行機だ」。毎日新聞のこの記事に東條は激怒。強度の近視で三七歳になっていた新名を二等兵に召集。戦場に送り、殺そうとした。しかし海軍が

「大正（に徴兵検査を受けた）の兵隊をたった一人取るのはどういう意味か」と抗議し、新名は除隊。助かった。あわてた陸軍はつじつま合わせのため、新名の出身地香川から三七歳前後の二五〇人を急遽《きゅうきょ》召集。彼らは硫黄島に送られ全滅した。

戦後、一人生き残った新名の筆は鋭かった。一九五六（昭和三一）年、『政治　この事実を黙って見のがせるか』を書き、冒頭のような日本政治の問題点を暴露した。国民が自分たちの税金がどのように使われるか、議会を通じてコントロールできておらず、〈予算の編成、執行ともに官僚が勝手にやり国会はそれを承認するだけ〉になっている。〈予算の編成については大蔵省主計局の官僚以外、国会議員たりとも一指も触れさせない〉のはおかしい。

つまり予算編成の段階から国民の代表がかかわり政治主導で予算をつくる仕組みがない、と新名は嘆いた。この国は税金の使い道を本当に国民の意思で決められる国家になれるのか。死んでも死にきれなかったであろう新名がいまなお地下で吠《ほ》えている。

【加藤唐九郎】（一八九七～一九八五）

相手を傷つけないで、自己の欲望だけを満たしていく手段、方法として、人間が最後に発見したものが芸術である。

加藤唐九郎《かとうとうくろう》は近代日本の天才陶工。志野、織部、黄瀬戸の桃山時代の作陶技法をよみがえらせた。代々陶工の家に生まれ幼時から窯場で土をこねて育つ。学校は嫌い。「学校へ行って誰もが同じことをやる教育を受けたらせっかくのやきものの腕がなまる」（『自伝　土と炎の迷路』）と祖母もいい、小学校に行かず、好きな授業、「成瀬先生のデッサン」にだけ出た。

桃山の作陶に迫るには古い窯跡で陶片をあつめて研究せねばならない。唐九郎は七、八歳から陶片を集めていたが、窯跡が立ち入り禁止に。しかし唐九郎はやめない。事情がわからぬ警察は唐九郎を何度も逮捕。しかしある時、警察署長の前に出されてびっくり。署長はデッサンを教えてくれた成瀬先生だった。それからは巡査に「先生」とよばれ、窯跡調査に警備がついたという。

唐九郎の作陶は神業。鎌倉時代の瓶子《へいし》を復元したら、それが国の重要文化財に指定され「永仁《えいにん》の壺《つぼ》」事件として大問題に。唐九郎は人間国宝を取り消され、全公職を辞した。唐九郎は晩年、人間の欲というものをみつめた。人間は欲で肉体、生活、地位を維持している。〈人間は欲念を捨てることができんようにできておる〉〈自己の欲望を満足させようとすれば、相手を傷つける場合が多い〉(『陶芸口伝』)。食欲ひとつ取ってもそうで、生きるために動植物を食らえば相手を死なせ傷つける。では、救いはないのか。唐九郎はそこに芸術の価値をみた。それが冒頭の言葉である。〈芸術は相手に関係なしに、自己の欲望だけを空廻《からまわ》りさせて、そこに満足を見いだす。……人間の欲望を芸術が救ってくれるのじゃ〉といった。

【松田権六】（一八九六〜一九八六）――――――批評――

どうすれば作品が良くなるかの予言を具体的にいい当ててこそ尊い真の批評

松田《まつだ》権六《ごんろく》は近代漆芸の名工。金沢市の生まれ。七歳から漆芸を始めた。父親から「今は学問の世の中。少し学問的にやれ」といわれ東京美術学校（現・東京芸大）に入る。在学中、教授宅に下宿。全く遊ばず下働きをした。技はある、教授には気に入られるで、松田の卒業制作「草花鳥獣紋小手箱」には一〇〇点がついた。松田は「芸術の世界に満点はあり得ない。九九点まではまだ意味があるが一〇〇点はおかしい、取り消してほしい」と校長に抗議した伝説をもつ（『うるしの話』）。

松田ほど芸術の大成を真剣に考えた者はいない。岡倉天心とは面識がないが、天心が多くの芸術家を育てられた秘密を研究し、天心の批評の仕方がよかったと結論づけている。〈天心先生の批評は具体的で建設的であり、どこどこが悪いといった欠点の指摘は滅多《めった》に言わ〉なかった（『うるしのつや』）。

松田にいわせれば〈欠点の指摘は……発展や繁栄策とはならない〉〈どうすれば作品が良くなるかの予言をいい当ててこそ尊い真の批評で、この批評こそ創作につながる〉。裏をかえせば、欠点のみをあげつらう批評は気にしなくていい。他人の作品から学ぶ場合も〈欠点を指摘するような消極的勉強ではなく、予言の方の積極的勉強をすべき〉で、〈この優品を今作るとしたら、という見方が大切である〉ともいった。

自分を成長させるのは、こうした心掛けの積み重ね。松田は〈人間誰しも心掛け一つで、最初は僅《わず》かな自己訓練から始まり、その自力で発足させたものが続けるうちに習慣となり、その積み重ねがやがて驚くほど大きな成果をもたらすことになる〉といっている。

【土光敏夫】（一八九六〜一九八八）――――――――会議――

会議は二時間以上してはならない

土光敏夫《どこうとしお》は昭和の経営者。経団連会長・行革審会長として国の行政改革に奮闘した。食卓にはメザシ。質実剛健な人格で知られた。部下の杉本辰夫によれば土光は〈合理主義者の権化〉。「会議は二時間以上してはならない」「お前たちは立って会議しろ。座って会議するとダラダラ無駄が多い」とまでいった。

しかし土光は人間をコストとみる発想には異を唱えた。企業にとって人間は資源。不況だからといってすぐに採用を減らすのは誤りだ。「苦しいときほど有能な人材を集めるべきだ」と主張。〈日本には、人間、人的資源のほかには何もない〉。不況で採用を減らすのは〈年寄りの都合〉で間違い。〈若者たちに申しわけが立たない〉ともいった。

採用した人間をコストにしてしまうか宝の源に変えるか。それこそが経営者の手腕。土光は重役会で女性がお茶を出すのをみて〈「女性をお茶くみに雇っているのか、女性の能力を活用しなければならぬ」と、早速、会議室に冷水、お茶の装置をおいてセルフサービスに〉した（本郷孝信『土光さんから学んだこと』）。だがこれはフェミニズムではない。土光は社員に重責を負わせて鍛える「重荷主義」。〈重要な仕事を与えられれば、人は自然に精鋭になる〉（『経営の行動指針』）。採用した人間を生産性のない仕事から価値を生み出す高度な仕事にどんどん連れていくのが経営者だと彼は信じていた。

期待される社員像について土光は「①頭脳を酷使する人②先をみて仕事のできる人③システムで仕事のできる人④仕事のスピードを重んずる人⑤仕事と生活を両立できる人。要約すれば変化に挑戦しうる人」と答えている。

【寺田栄吉】（一九〇二～一九九三）

予算を見せられる時にどういう経路によってできたか。我々には、ほとんどわからぬところに私は非常に矛盾を感ずる。

国民の常識は案外に正しい。まともなやり方に気づく力は専門家にではなく、しばしば、一般人の常識に宿る。国会議事録を調べて驚いた。敗戦直後、いまの日本政治の問題点をことごとく指摘していた人物がいた。寺田栄吉《てらだえいきち》。大阪・岸和田の経営者。大日本紡績（現・ユニチカ）の役員から衆議院議員。日本進歩党の一年生議員として戦後初の国会で鋭い質問を連発。ニューヨーク・タイムズが一面五段抜きでそれを報じた。

寺田はまず当時高等文官とよばれたキャリア官僚制度がおかしいと指摘。「二五、六歳にして地方府県の課長に就くなど滑稽《こっけい》」「課長級以上は全部民間の現場経験者を以《もっ》て替えるべきだ」。この際、高級官僚の受験資格を〈民間経験五年以上〉にして国民感覚の政府をつくれといった。また寺田は特別会計制度が日本のアキレス腱《けん》になるとも指摘した。「特別会計が日本の予算においては世界に類例がないほど多い。そのために予算が非常に見にくい」。大阪商人の直感であった。政府がやる事業は〈事業各自の独立した収支決算はほとんど出ない。一般国民はもちろん知らない〉から問題が起きる。

寺田は予算編成を密室で行うこの国のやり方にも異を唱えた。予算を編成段階から公開の場で議論する公聴会を提案した。しかしこの質問の直後、寺田は財閥の一員とされ突如、公職追放。吉田茂の政敵追放＝「Y項パージ」と、噂《うわさ》された。

それからずいぶんたって、「事業仕分け」というものも行われた。これもひとつの試みだろう。「予算というものが……国民一般の共有物である、自分たちのものだというような感じを受けるようになる」（当時の主計局長答弁）、その地点をめざして一歩一歩、とにかく歩みたい。

謝辞

本書をまとめるにあたり、多くの方々にお世話になった。朝日新聞土曜版〈be〉に連載をすすめてくださった長友佐波子さん、連載の担当として、ほんとうに、ともに泣きともに笑うといった感じで、この連載につきあってくださった春山陽一さんには、お礼の言葉もない。また、本書の出版にあたり、新潮新書編集長の後藤裕二さん、担当の内田浩平さんには、索引をはじめ、あらゆる労をとっていただいた。新潮社には、『武士の家計簿』をまとめる前から、気まぐれなわたしの執筆につきあってくださっている石井昂さん、三重博一さん、大畑峰幸さんがいる。この尊敬する三人の編集者に八年ぶりに原稿を渡せて、ほっとしているのが、いまの正直な気持ちである。

また、職場を同じくする茨城大学人文学部の日本史スタッフの佐々木寛司、高橋修両教授に御礼申し上げたい。わたしがこの本を書けたのは、日々、入り浸っている図書館の職員の方々のおかげである。とくに茨城大学図書館スタッフ、さらには慶應義塾図書館（三田メディアセンター）、東京大学の諸図書館、東京都立中央図書館、国立国会図書館の皆様には、無理難題をいって、本を利用させていただいている。その御恩に感謝するばかりである。

連載中、信じられないほどたくさんの、お便りをいただいた。大学のメールボックスをあけると、激励の手紙がごっそり出てきたこともあった。つくづく、自分はほんとうに幸せ者だと思い、励まされた。なかには「先生の連載を毎週トイレの壁にはってます。励まされます」といってくださった方もいた。連載は時間との闘いでつらいものであったが、それを続けられたのは、ひとえに読者の声援のおかげである。

最後に一言、ことわっておかねばならないことがある。連載終了直前に、東北・関東の大震災がおきた。そのため、連載は読者諸氏にあいさつもなく急に中断、終了となってしまった。連載を終えることは以前からきまっていたが、震災の混乱で読者へのあいさつができなくなってしまったのである。もちろん、朝日新聞社からは「読者に最後のメッセージを」と、丁重なおすすめがあったが、状況が逼迫するなか、記者さんの貴重な時間や紙面をさかせていただくのは忍びないと、わたしのほうから辞退させていただいた。この場を借りて、連載の読者諸氏に、長らくのご愛読お礼のごあいさつを申し上げたい。

震災では、わたしも被災した。蔵書の棚が激しく転倒、間一髪、妻が一歳になる女の子を抱き上げて、事なきを得た。あの重量物で娘が押しつぶされていたらと思うと、寒心に堪えない。今日は、水戸の町で放射能におびえながら、ちらばった蔵書や古文書をひとつずつ棚にもどした。私物の放射線量計ガイガーカウンターを道ばたの雨水枡《ます》に近づけたら、カチカチと、いつもより多めに、気味悪い音をたてた。わたしも、この本を胸に抱え、前向きに歩んでいこうと、自分に言い聞かせている。

二〇一一年三月二十三日

磯田道史

史　料

索引

人名…223　史料…220

人名

磯田道史　1970（昭和45）年岡山市生まれ。茨城大学准教授。慶應義塾大学文学研究科博士課程修了。日本学術振興会特別研究員、慶應義塾大学非常勤講師などを経て、現職。

Ⓢ新潮新書

414

日本人《にほんじん》の叡智《えいち》

著　者　磯田道史《いそだみちふみ》

2011年4月20日　発行
2024年4月10日　15刷

発行者　佐　藤　隆　信

発行所　株式会社新潮社

〒162-8711　東京都新宿区矢来町71番地
編集部(03)3266-5430　読者係(03)3266-5111
http://www.shinchosha.co.jp

印刷所　株式会社光邦
製本所　株式会社大進堂

ISBN978-4-10-610414-5　C0221